香港我的愛與痛

顏純鈎——著

●自序●

為誰風露立中宵

二〇一八年，我退休兩年後回到溫哥華定居，稍後香港中文大學為我出版了長篇小說《血雨華年》，中大為推廣這本書，希望我開一個臉書專頁。反送中運動初起，我就為《蘋果日報》論壇版投稿，但因版面有限，有時稿子會壓一個星期，失去時間性，於是我就同意開臉書，開始在臉書寫點時評，自那時起，也寫了四五年了。

反送中運動如火如荼，我的臉書遂變成每日的時事評論，寫了兩年多，跟足反送中全過程，反送中運動轉入低潮後，才改為隔日一篇，一直寫到現在。其間黎智英先生打電話約我為《蘋果日報》副刊寫專欄，稍後蘋果行政總裁張劍虹先生約我寫社評，先是每周一篇，稍後增加到每周兩篇，一直寫到《蘋果》停刊為止。

本書文章便是從這幾年的時評文章中選出來，也可算是我退休生活的一個意外「得著」。我一生大部分時間都在做編輯，初到香港那幾年，曾經寫過一點時評文章投稿給《七十年代》，蒙李怡先生不棄，也得到發表，此外業餘寫點散文小說投給報紙副刊。

真正重拾時評寫作是從佔中運動開始的，只作為一種業餘又業餘的興趣。當時仍在天地圖書工作，天地是左派外圍組織，為免給公司造成尷尬，只好用筆名「顧鴻飛」投稿給李怡，就這樣寫成了習慣，變成退休後一種「細藝」。

我沒有受過正規的學術訓練，更沒有足夠的時評寫作經驗，因此我的文章，不時會暴露出業餘的本色，缺乏有系統的知識架構，更缺乏專業的邏輯推理能力，只屬於半路出家，不能登大雅之堂。初時是有話要說不吐不快，慢慢竟養成習慣，每日不寫就不舒服，這樣就趕著鴨子上架，居然成就了一本書。

人生之有趣，就是你永遠會遭遇一些驚喜，你只是跟著感覺走，走到最後，竟走出一條路來，回頭望去，雖然雲遮霧障，但分明曲曲彎彎的有些景致，看上去還有一番情味。所幸當初每日都用心去寫，寫到最後，還能撿拾出一本書稿來，也算是不負多年心血。

我三十歲南來香港，兩袖清風，舉目茫然，香港以寬廣的胸襟收留我們這些南來的逃難者。我從《晶報》校對做起，後來做報紙副刊編輯，再轉到出版公司，一直做到退休。

我從小喜歡文學，文革中又參與政治，對思想文化方面興趣頗濃，一生從事自己喜歡的工作，從中不但得到極大樂趣，也對自我價值的實現不無小補，這一切，早已超越我對自己的期望。沒有香港，便沒有我的一生，所以我對香港，永遠懷著感恩之心。

正因如此，我永遠不會原諒中共二十多年來對香港的踐踏，我對香港遭遇的厄運也有切膚之痛，我寫時評，一則出於對香港的愛，二則出於對香港的痛。我幫不到香港，每日痛入心扉，拿自己沒辦法，只能一味埋頭寫寫寫。

如此星辰非昨夜，為誰風露立中宵。我家居日常，憑欄望遠，有時夕照滿天，有時雨雪迷濛，幾乎每天，我都會想起我的香港，那裡的山水城廓，那裡的親朋好友，一一在心頭徘徊，長久長久，百感交集不能自已。今生今世，盼有機會回香港重溫舊夢，如果沒有，那就讓我的魂魄悠悠，從太平山頂俯瞰，為我的香港祈禱祝福。

因為生性疏懶，我的舊稿都沒有按時間和題材分類儲存，多謝一位朋友替我收集了一部分，我自己再匆匆忙忙從雲端記憶處找一些出來，因此每篇文章都沒有出處和日期，長一點的可能是蘋果社論，短一點的應該就是臉書文。有些細節或詞語本應做一點註釋，但想起來就頭痛，幸而大部分經歷過的事件，香港讀者都能明白，對其他的讀者就只好說聲對不起了。

感謝沈旭暉先生和一八四一出版社的邀稿，也感謝沐羽等編輯的用心，這本書不論合格與否，都獻給香港，我的第二故鄉，我永生之所愛。

目錄

●輯一● 太平山下

●輯二●
北望河山

● 輯三 ●

世事如棋

● 輯四 ●

人生因緣

輯一

太平山下

蘋果不哀傷離別，香港不相信眼淚

蘋果日報最後一夜，香港人百感交集。

壹傳媒大樓內，竟沒有絲毫哀傷的情緒。留守到最後的員工，人人都情緒激昂，隨時聽到掌聲口號聲，隨處看到笑臉。大樓外聚集了前來支持的數百市民和傳媒，報館內外也是一片相互鼓勵和支持的呼聲。現場看過去，好像不是蘋果日報的最後一夜，而是最初的一日。

看到一張張年輕的、真誠的、精神飽滿的面容，我更加體會到，我們香港人真是與別不同的族群。報館內外都以年輕人為主，他們沒有沮喪，沒有絕望，有的只是不屈的意志和打不死的精神。從習近平到駱惠寧，從老董到林鄭，都已是老朽之輩，他們如何和這些朝氣蓬勃的年輕人鬥到最後？

蘋果高層出來和支持者見面時，提到正在研究保留網上版的可能性，日報維持不下去，或許浴火重生，找到另外的生存空間也未可知，且讓我們拭目以待。

本來，蘋果日報是準備支持到本周六（六月二十六日）的，後來又改為周四，大概有運作上的困難。依照慣例，周四和周六都輪到我寫社論，我也都提前交了稿，不過後來報館通知，因為他們希望在告別之日由報館高層自己撰寫社論，因此恐怕不能用我的稿子。本來說會在論壇版作一般文章刊登，後來又改了最後的日期，文章因此就沒有機會刊出了。

這都是可以理解的安排，我把原訂最後刊出的社論稿放在下面，讓大家也明白我的心情。作為社論，我是用蘋果員工的身分講話，請大家了解這一點。

人民永遠不會離開歷史舞台

眾所周知，今日為本報最後見報日。在中共與香港政府打壓下，原有的生存環境已不復存在，再勉強支撐已沒有意義，對所有員工也不公平，因此泰然地說再見，這是明智的選擇。

當外敵大軍壓境，兵臨城下，而城中彈盡糧絕之際，再堅持已屬徒勞，更大的犧牲於事無補，最要緊不是撤退，而是有秩序有尊嚴地撤退。

二十六年來，壹傳媒機構秉承新聞工作者的良知，站在香港絕大多數市民的立場上，在這個陰晦壓抑的時代，努力履行作為社會第四權的職責，為港人發聲，與港人同進退。筆者相信，大部分曾經在壹傳媒工作過，以及那些堅持到最後的人，都會為此感到自豪——這是我們一生中光輝的歷程，是個人意志和情感永不磨滅的印記。

我們不幸生在這個最壞的時代，我們盼望的好日子並沒有到來，但我們為自己和自己的子孫打過美好的仗。我們的理想沒有實現，但我們的正氣感天動地，我們的痛苦還會延續，但我們的思想已經定型。沒有人可以熄滅我們內心良知的火光，「三軍可奪帥，匹夫不可奪志」，人民會被逼到歷史舞台的邊緣，但人民永遠不會離開歷史舞台。

中共表面上張牙舞爪，但他們自己深知，獨裁統治的好日子已經到頭了，此後就是如何壞下去、甚麼時候壽終正寢的問題了。世界性的反共統一陣線已經形成，俄國已離心，歐盟態度明確，亞洲各國也在歸邊。而在大陸內部，各種社會矛盾正在激化，經濟下行，民間肅殺，惡性事故此起彼伏，各級黨政幹部都嗅到政權的「燶味」，人民的不滿情緒正在蔓延和集結。

早前王岐山提到吃草的日子，習近平視察地方時，發出「向死而生」、「九死而不悔」的悲鳴，最近習帶領全體高官重新宣誓，更破天荒加入「永不叛黨」的誓言，證明他們已看到眾叛親離的結局。所有這一切，都意味著中共最高領導層內心的虛怯，他們對未來形勢悲觀的預期。

建黨百年之際，中共面臨最嚴重的執政危機，全球疫癘溯源追責壓力山大，北京冬奧生死未卜，更嚴重的是，他們已經大失方寸，一籌莫展。人民質疑之聲四起，官員怠政之心普遍，螺旋式下滑，低處未算低。

中共可以封殺蘋果日報，趕絕壹傳媒和其他自由傳媒，但中共無法封住香港人的嘴。網絡無邊際，社交媒體方興未艾，西方各民主國家和人民，都是香港市民的堅強後盾。此後，「一國兩制」的大騙局已徹底破產，台灣和平統一之路已走不通，「民族滅絕」的指控將無日無之，西方反共陣線會加固，中共的經濟老本會吃完。外面銅墻鐵壁，內部軍心渙散——一個最好的時代已遙遙在望。

曼特拉坐了二十六年牢，東歐巨變等了三十多年，台灣民主轉型用了四十多年，從反二十三條迄今，香港人奮鬥了十九年，我們還可以等，只要心不死，未來永遠在瞻望中。

歷史的步伐有時滯重遲緩，有時山崩地裂，有時千年徘徊，有時又變生肘腋，取決於時與勢的交互作用。今日與讀者說再見，我們心頭有悲壯之感，卻沒有哀傷之情，我們不會永別，我們會回來，香港人會回來，歷史舞台為我們預留了應有的位置。

今日過後，我們會暫時解散，散入民間，散入時代僻靜的角落。我們會休養生息，韜光養晦，繼續關心苦難中的手足，過好自己的日子，調整好自己的心態。我們會讀書思考，觀察世情，增益自己的思想和志氣，然後，歷史會給我們一個回答。

親愛的讀者，衷心感謝一路以來風雨同舟，感謝你們對壹傳媒全體同仁永不動搖的支持，我們會永遠懷念這些充滿愛與力量的日子。希望大家各自珍重，努力生活，為我們永遠熱愛的香港，為我們的子孫好好活下去，我們必定會在煲底相見！

最後，還是以李白一首詩來和蘋果日報全體員工道別吧：

「送友人」
青山橫北郭，白水繞東城。
此地一為別，孤蓬萬里征。
浮雲遊子意，落日故人情。
揮手自茲去，蕭蕭班馬鳴。

此去多珍重，我們後會有期！

甘冒矢石竟粉身，於無聲處聽驚雷——為蘋果日報送行

今日這篇文章，竟不知從何落筆。哀歎沒有意義，互相鼓勵的話也說盡了，形勢如何大家心照，如何處身各有選擇，那麼還有甚麼好說？

我想起和壹傳媒有限來往的一些舊事，在此與各位分享。

黎智英創辦《壹周刊》時，我看了第一期，就和一位前輩說，《壹周刊》掂！前輩是新聞界老行尊，那時他已從舊機構退休，《壹周刊》開檔，他被請去專門處理讀者來信。

前輩滿腦子傳統報刊的經驗，對我的看法頗不以為然。我並沒有特別高超的判斷力，但整本雜誌從頭到尾看下去，幾乎每一頁都給我新鮮感，內容吸引，文字爽朗，永不拖泥帶水，插圖和設計也都別豎一幟。我想既然我一看就喜歡，別人也一樣，那雜誌一定可以生存。

創辦初期，因為服膺市場化，打破舊規則，創辦狗仔隊，更白日宣淫，有些新聞手法很出位，因此受到四面八方的攻擊。黎智英是一個傳媒「壞孩子」，拿著一枝大棒衝進傳統媒體大殿，一輪亂棍掃去，打得裡面的舊擺設碎片亂飛。其間甚至發生「製造新聞」的醜聞，爭吵一輪後，《壹周刊》公開道歉了事。要在百年舊傳媒中殺開一條血路，只有不按牌理出牌，志在吸引公眾眼球，先衝得進去，把舊殿堂打得稀哩嘩啦，然後再來收拾殘局。

《壹周刊》成功後，黎智英再接再勵創辦《蘋果日報》，並聘請董橋睇檔。董橋何等人也，竟願意報效一家市場導向、沒有底線的新媒體?當時文化界前輩戴天和我說，黎智英是請董橋去開一間精品店。戴天的比喻很有趣，《蘋果日報》當時就像一間大的超市，甚麼都賣，在超市裡闢一角落，賣一些高檔消費品，順便把高消費人群也拉攏進來。由那時開始，蘋果日報便站穩腳跟。

從蘋果創刊起，我幾乎每天都瀏覽，找自己喜歡的內容來看。蘋果最重要的品質就是她永遠不悶，永遠趣味盎然，即使沒趣味的內容，他也要把他寫得有趣味。還有，他一直強調獨家新聞，用自己的記者去挖掘政圈商圈文化圈種種隱秘之事，保障讀者的知情權。他們做獨家一視同仁，不避社會關係，總之你有事情瞞著別人，這件事又是大家有興趣知道的，蘋果就要把它公諸於眾。

蘋果創辦多年，我都沒有給他們寫稿，直至文革四十周年，我作了一次整體回顧，寫了一篇四五千字的長文，標題為「四十年來家國」，寄給董橋先生。董橋初時回覆我，說他們沒有適當版面，要看編輯是否接受。結果過幾天，蘋果撥出大半個版面，把我那篇文章全文一次刊完。當時有一些文化界朋友讀了，都還覺得對他們認識文革有點幫助。

後來有一次，歷史學家余英時教授，為我們重印的汪精衛《雙照樓詩詞藁》寫了一篇一萬多字的長序，我正愁沒地方發表，有一晚在港大龍應台沙龍上碰到董橋，我提起余英時的新作，董橋想都不想就說：余教授的文章多長我們都要！過幾天，余教授的宏文在蘋果日報用兩大版的破格大篇幅一次過刊完。

如果蘋果只是一份以低級趣味取悅讀者的報紙，怎麼可能一口氣發表一篇歷史學家嚴肅題材的長文？由此可見，黎智英辦蘋果，絕不只是賺錢那麼簡單，他有自己的政治與文化抱負。

直到佔中運動前，我才開始用筆名「顧鴻飛」投稿給李怡。我和李怡認識，但我不想他看熟人面子登我的稿，也因為天地圖書屬左派外圍，不想給公司造成不便，因此用筆名。直到一段時間後，李怡不知如何識破，這才打電話和我聯絡，鼓勵我多寫。我於二〇一八年回加拿大定居，直至二〇一九年反送中運動起，我才又重拾時事評論的筆，投稿給蘋果論壇版。當時論壇版已有不少固定作者，版面很有限，有時一篇文章要壓一兩個星期才刊出，失去時間性。

恰好那時中文大學出版社希望為我的長篇小說《血雨華年》做宣傳，希望我開一個臉書專頁，我當然責無旁貸，於是就在臉書上每日寫時事評論。

去年四月間，有一天黎智英突然打電話給我，邀請我專欄。我和他有過一面之緣，曾想合作出版他的書，可惜不了了之。我在不同報刊寫專欄寫了幾十年，從來沒有報紙老闆親自約稿，不料黎智英紆尊降貴親自打電話約稿，我這才明白他成功的原因就是事事親力親為。

專欄每周兩篇，他和我商量見報的日期，閒聊一陣，就此開始合作。我長期看蘋果，原有專欄作家很多都是我心儀的作家，蔡瀾李碧華是天地圖書的作者，陶傑、蔣芸和沈西城也是老相識，高慧然也是我的作者，左丁山每日必讀，他的資訊都是我不知道的，此外林夕的尖銳，馮睎乾的學問，李純恩的俏皮，還有其他幾位的識見和學問，都令我欽佩，因此就像進入一個大家庭一樣。我的社會生活面不如各位的廣，常為題材傷腦筋，不過總是想把文章寫得有意思也有趣味，免得拖低整個專欄版的平均質素。

又過了幾個月，張劍虹先生寫短訊向我約稿，希望我幫手寫社論。先是每周一篇，後來增加到兩篇，我初時有點戰戰兢兢，因此前未寫過社論，張先生鼓勵我，讓我大膽寫，此後慢慢上手，也摸到一些門徑。我的社論和專欄都得到編輯的尊重，從來一字不改，有時一點小小的疑問都要寫短訊來問，有事情聯絡張劍虹先生，他都是即時回覆，真是合作無間。

我很慶幸自己在退休之年還能為香港人服務，這都要拜蘋果日報之所賜。我在蘋果日報最後這一年時間內，和他們併肩打過一些美好的仗，因此深感榮幸，讓我選擇再來一次，我仍舊會視他們為親密的戰友。人生有順逆，這幾天心情都不好，為蘋果日報不值，為香港不值。但形勢如此，人力難以挽回，我們只好接受現實，在不可能的現實面前，盡做一點可能的事。

蘋果無可避免要走向結束，他們甘冒專制矢石，有「我不入地獄誰入地獄」的大志，現在雖然粉身，我相信日後一定會浴火重生。魯迅詩句「於無聲處聽春雷」，從今以後，我們也就在無聲處等待，等那一聲春雷從天際響過來。

借此機會，向黎智英、張劍虹和羅偉光三位致意，希望他們善自珍重，保養身體，也通過他們感謝所有蘋果日報員工。「仰天大笑出門去，我輩豈是蓬蒿人！」，且讓我們以李白詩句共勉。

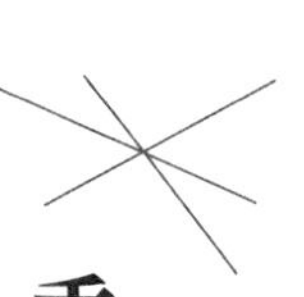

香港電台是香港言論自由的橋頭堡

因為香港電台「頭條新聞」最新的節目，引起警方高層、梁振英以至政府部門的抗議。梁振英是早已被邊緣化的政治閒人，他說甚麼完全不必理會，警方的反應也是意料中事，至於林鄭和政府部門，他們想拿下港台，也早已司馬昭之心路人皆知。

「頭條新聞」多年都沿用嘻笑怒罵的風格做時事節目，廣受香港人歡迎，新節目並沒有離開他們一貫的宗旨。警方如果覺得節目本身揑造事實無中生有，可以就具體事項提出抗辯，甚至訴諸法律。至於節目基於事實而用甚麼方式表現，港台要說甚麼，怎麼說，那是港台編輯自主的範圍，別人無權置喙。

林鄭和警方當然希望港台節目為他們歌功頌德，但港台節目的設置，本來就不是為政府抬轎子的。政府部門包括警方在內，都要明白他們都被置於港台節目的監視之下，有甚麼行差踏錯，港台都有責任揭露與批評，明乎此，警方即應該閉嘴。

香港電台在港英時代已經確立自己的宗旨，便是監督政府運作，為市民發聲，「頭條新聞」一九八九年創立，當其時的節目風格就已形成，針砭時弊，嘻笑怒罵，以政府部門和官員為諷刺對象。在英國人治下，一點問題都沒有，香港人也喜聞樂見，數十年來都是最受歡迎的節目。

現在的年輕人可能不太知道，港台的機構文化是在張敏儀小姐主政年代建立起來的。張敏儀擔任過港台台長、廣播處長，任內創立很多長時間廣受歡迎的節目，她建立的港台文化沿用至今，是港台員工編導節目的依據。港台節目肩負批評和監督政府施政的任務，「頭條新聞」以事實為依據，以公義為宗旨，以嘻笑怒罵為形式，在港英時代，一向運作正常。

回歸以來，中共利用商人見利忘義的本性，慫恿城中富豪，收購不同傳媒為己用，慢慢扭轉輿論風向，以致香港大多數電視台、電台、報刊等，已基本納入中共的宣傳系統，企圖以統一的宣傳口徑，包攬香港人的資訊來源，將大陸洗腦那一套「成功經驗」引用到香港，以收縮香港人的言論空間，達到一言堂的政治效果。如非香港電台、蘋果日報以及一些自由網媒，香港已經在言論自由上全面淪陷，而一場聲勢浩大的反送中運動，也將不可能發生。

新聞自由與言論自由是開放社會的基石，它們保障了人民有發聲的權利，保證政府不敢胡作非為，保證社會在健全的機制下發展。沒有新聞和言論自由，社會公義不能彰顯，政府行為不受監管，人民的意志無從表達，那是任何一個社會走向衰亡的前奏。

因此，香港人應該警惕任何對香港電台的打壓，應該保護好這個言論自由最後的橋頭堡。若政府識時務，不敢輕舉妄動，那港台節目就繼續為香港人發聲，政府不識時務，膽敢用卑鄙手段整治港台，香港人就不能袖手旁觀，一定要做港台員工的後盾。港台在，香港人在，只有香港人不在了，港台才會不在。

中共和林鄭，以及那些冇腦藍絲，暗地裡都有一種幻覺，以為一場瘟疫打散了香港的反送中運動，他們未免太天真了。運動根本沒有完，也不會完，因為香港人仇未報，義未伸，政治訴求未達到，命運未改觀，任何放棄抗爭的想法，香港人都不會接受。如此看來，保衛香港電台，日後會被納入整個反送中運動中去。中共和林鄭想動這塊香港人的奶酪，香港人會和你死過。

林鄭和警方都應該知道打壓香港電台的後果。美國政府不久前通過的「香港人權與民主法案」，金睛火眼盯緊香港的新聞和言論自由，林鄭膽敢動香港電台，還有美國政府的「香港關係法」那個更具殺傷力的武器在後面等著。中共與林鄭要明白「頭條新聞」對香港言論自由的象徵意義，「頭條新聞」一旦生存不下去，便是宣告香港言論自由的死亡，那個後果，不是小小一個警方公共關係課能吞得下去的，是習近平能不能吞得下去的問題。

香港電台對香港人的意義，就類似言論自由的橋頭堡。橋頭堡在，敵軍過不去，橋頭堡失，陣地就中門大開。因此，香港人與香港電台就是生死與共的關係，生則一起生，死則一起死，明白這個道理，我們便不能對任何打壓港台的政府行為袖手旁觀。

不自由勿寧死，死守港台這個橋頭堡，才能支撐到最後勝利那一天。

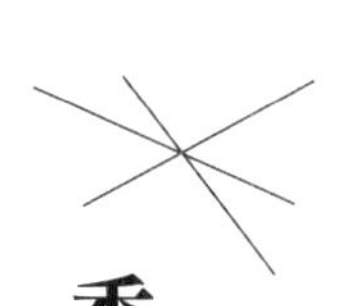

香港人、香港文化、香港精神

早幾天在網上看到一張照片，照片中三個香港年輕人，只認得一個是羅冠聰，因為沒有任何文字說明，不知道另外一男一女是甚麼人。

三個香港年輕人，滿臉陽光，青春洋溢，神情輕鬆，笑容充滿自信，兩個男人英姿勃發，那位小姐純真甜美。我把這張照片轉給親友，不知道說甚麼，就說這是「美麗的香港人」。

在反送中運動中，我們每天都看到這樣的香港人，雖然有時並不那樣笑著，而是神色凝重、激昂甚至憤怒，但不論我們遭遇甚麼樣的香港人，我們一眼就可以認出來，他們和大陸人不一樣，和台灣人、海外華人也不一樣。

我於是一直在想，究竟我們香港人是怎麼樣一個族群呢？香港文化的底蘊又是怎麼樣的？我們獨特的精神面貌又是怎麼樣來的呢？

香港文化既包容了中國傳統文化和近現代文化，更包容西方數百年的文化。香港是「包山包海」，來者不拒，自由吸取，自然淘汰，而最後留下來的，就是一種獨特的香港氣質。這種氣質撐起香港人的精神共性，這種精神共性造就香港的今天，引導香港走向未來。

首先，香港人都是移民的後代，在中國大陸遭逢百年的苦難歲月，他們來到陌生的土地，赤手空拳打江山，有的甚至要冒生命危險，九死一生闖江湖，因此，香港人富於冒險精神，沒有因循守舊的鄉愿心態。

我們的先祖兩袖清風，在不可能的地方艱難立足，他們靠自己打拚，絕地求生，因此香港人從來不求施捨賞賜，在得閒死唔得閒病的漫長日子裡，辛苦搵來自在食。

香港人有幸，百年來生活在英國管治之下。英國是老牌帝國主義，也是老牌民主國家，他們引入遙遠的西方文明，讓香港人長期浸淫西方文化，自覺不自覺地塑造自己的文化人格。

與此同時，香港也保留了傳統中國文化，傳承了五四運動的革新精神。香港人吸收西方文明時，兩岸都還在獨裁統治之下，若論受西方文化影響之深，兩岸都無法與香港比肩。

香港人未經過中共泛政治社會生活的同化，沒有人與人之間互相傾軋你死我活的鬥爭，我們保持了與人為善的涵養，互相之間雖有競爭，但沒有敵意，一切都在公平的原則下，各盡所能為自己爭取。我們明白競爭的基本規則，不以損人利己為得計，有本事的人在社會上升，際遇不佳的也安之若素。

在資本主義生活方式庇佑下，香港人都得到溫飽，有瓦遮頭，社會規則公平，各人努力實現自己的價值，為事業奮鬥，安頓家庭，提高生活水平。

因為我們坦誠，所以憎惡互相算計，因為我們向善，所以不屑奸邪之徒，因為我們嚮往公義，所以對出賣公眾利益的人深惡痛絕，因為我們守法，所以不容忍背信棄義，因為我們做慣自己的主人，所以不肯做奴隸。

我們曾經幸福過，明白幸福對我們意味著甚麼，更珍惜原有的生活方式。為主宰自己的命運，而不是任人魚肉，我們可以拚死鬥爭。

我希望有更多有心人一起來探討香港文化和香港精神，這不是脫實入虛，是我們先要明白自己是甚麼，才知道自己要甚麼。

中國正在大變中，還有更深刻的巨變正在來臨，日後中國人重整河山，要如何奠基我們的文化人格，尋求全民族的共識，規劃國家的發展藍圖，在在都需要深刻的檢討。未來中國如建基於今日的大陸文化，一定是無了期的亂世，要澄清乾坤，唯有以港台文化為底色重塑我們的民族性。我們探討香港人的文化人格，有利於新中國的重建。

前不久，一個香港年輕人 Kenny，獨自一人展開一項壯舉，由美國華盛頓起步，準備步行一千八百公里，到達邁阿密。沿途餐風宿露，宣講香港人的抗爭，揭露中共的殘暴和無恥。

Kenny 是普通的香港年輕人，我們不認識他，去到異國他鄉，連立足都談不上，未來生活無著落，可是他孤志朝天，立下宏願，做自己認為正確的事。這便是香港人，便是香港精神，便是香港文化去到世界哪一個角落，都可以落地生根的理由。

天涯逆旅，孤身上路，備嚐艱辛，不求回報，這是我心目中典型的香港人，我從他身上看到香港的未來。不管是離散在各國，還是留在香港，只要我們有羅冠聰們的爽朗和自信，有 Kenny 苦心孤詣的精神，我們一定會有美好的明天。

我們是這樣優秀的族群，我們配擁有更好的人生。

香港人是稟賦異常的中國人

說到移民，香港人的血液裡有移民的基因。仔細想一想，香港人真不是一般的中國人，是稟賦異常的中國人。

前幾年香港年輕人在說「香港民族」，我一開始覺得這種說法不能成立。一般說到民族，總得有血緣的根，生理上的特徵，文化上的傳承，說香港是一個民族，有點勉強。

但不可否認，香港人與大陸人、台灣人是有顯著區別，那些區別甚至是本質的，我們與其他中國人之間區別之大，真的可以用另一個族群來看待。

首先，香港百多年在英國治下，我們早已習慣英國殖民者給予的自由、法治和平等，我們得天獨厚，早就享有這些普世價值的精華，把這些精神深植在自己生命深處。英國的文化基因，與中國的文化基因「異族通婚」，生成混血的文化，我們得到中英兩種文化中各自最優質的部分。我們對普世價值的嚮往和認同，是自然而然的，經過傳承汰洗，我們的思想文化根深蒂固，流在血液裡。

其次，香港人是三次大遷徙的難民子孫。一次是國共內戰，一次是大饑荒，還有一次是文革。三次逃難都是中共一手造成，第一次跑出來的是地主資本家、民國知識分子和各級軍人；第二次跑出來的，是不肯坐以待斃、冒死求生的饑民，第三次跑出來的，是經過文革上山下鄉吃盡苦頭的紅衛兵。

人在絕境時，生出赴死的勇氣，鋌而走險，作人生一搏，這種人比一般庸眾更有膽識，更勇敢堅忍，也更有自信。香港人血液裡有逃難的基因，有移民的衝動，不管在哪裡，看看勢頭不對，就拚了老命去找新的落腳點，唯一的願望便是，不讓自己的子孫活在恐懼和災難裡。

其三，香港人眼光永遠是向外不向內，向前不向後，向上不向下。香港沒有資源，一個小島只靠外向型經濟養活自己。我們永遠都向外看，向外找機會，養成我們寬大的胸襟，遠大的見識，非凡的魄力。香港人具開拓性格，不守舊不因循，所以我們去到哪裡，都以香港人的性情處事做人，去到哪裡都可以落地生根。

其四，香港有獨特的文化，這種文化對每個香港人潛移默化，把我們打造成具有集體性格的族群。我們有獨特的語言，獨特的生活習慣，獨特的思維定式，去到哪裡，只要是香港人，就很容易融為一體，就有一種血肉相連的親切感。

台灣經過專制的勘亂時期，大陸至今還在獨裁鐵腕下，唯有香港一早享有自由，法治基本完備，從未有過政治白色恐怖。香港人百年來在安全平等的環境中生活，養成獨立不羈自由奔放的性情，因為注重合約精神，我們不能忍受無恥的背叛與失信。中共的欺詐奸狡、蠻橫霸道，恰恰是香港人最深惡痛絕的，我們與中共是天生的水溝油，不可調和。

筆者三十歲來香港，性格已定型，我用十年時間改造自己，把自己改造成一個地道的香港人，我認同香港多過認同我的故鄉福建晉江安海，認同香港人多過認同我的同鄉。反送中運動後，我在報上寫文章，我的老鄉老同學罵我是漢奸，後來我在蘋果日報寫了一篇文章，標題是「做漢奸，還是做奴隸？」我以孫中山和毛澤東為例，他們鬧革命，都是與外國勢力勾結，日本人提供金錢和武器給孫中山，蘇聯人提供金錢和武器給毛澤東，如果孫毛兩人都能做漢奸，為甚麼我不可以？我寧肯站著做漢奸，也不肯跪下做奴隸。

我的這種稟性都是香港給我的，香港改造了我，給了我新的生命。我來香港時，一身傷痛兩袖清風，我離開香港時，實現了個人的理想，孩子們都受到很好的教育，香港對我有恩，我永生永世都要回報香港。

我相信有千千萬萬像我這樣的香港人。我們現在受難了，香港受難了，我們要挺過去，先保存自己，再圖長遠。只要香港人心不死，香港就不會死，我們今日走了，他日還會回來，只要有正氣在，邪惡勢力就不能長久。香港很可能淪落下去，但有一天她會從廢墟裡站起來，我們會賦予她更亮麗的生命。

告別眾新聞：此去風雨同路戰勝凜冬

繼立場新聞被扼殺後，眾新聞也宣佈停止營運，至此，香港的自由傳媒已被斬盡殺絕，此後暴政一言堂，中共終於實現佔領香港的陰謀。

多年來，香港新聞界的精英不約而同在少數自由傳媒中集結，近年除了蘋果，就剩下立場新聞和眾新聞苦苦守住最後的自由陣地。香港新聞界精英，在艱難的處境下苦心孤詣，驍勇善戰，盡了最後的努力，借此機會，我對他們的道義良知和專業精神，表示最高的敬意。

百年香港得以成功的其中一項最重要的因素，便是新聞自由。有資訊流通的無疆界，有輿論的監督，有真相的揭露和理性的批評，香港得以維持高度資本主義的經濟體制，維持市場經濟的正常運行，香港的成功得益於此，這是財經與專業界的藍絲也抹煞不了的事實。

中共的專制體制視自由傳媒為洪水猛獸，多年來香港人反抗暴政的群眾運動，都有自由傳媒的現場報道，自由傳媒不可避免成為中共的眼中釘肉中刺，必欲除之而後快。習近平上台以來，大陸極少數有自由派傾向的傳媒如南方周末等，都已壽終正寢，全國山河一片紅，現在連網絡都管成一潭死水，中國人再沒有任何自由呼吸的空間。

當下中共內外交困，正面對巨大的政治經濟和社會壓力，執政焦頭爛額，缺乏安全感，為穩住政權，中共必定要打掃後院，高築墻廣積糧，準備過苦日子。正因前無去路後有追兵，後方一定要安全，內部一定不能亂，打壓香港傳媒是預防內亂必不可少的措施。

立場新聞與眾新聞的命運在預料之中，香港人早有心理準備。眾新聞宣佈停運是明智的決定，可以有序撤退，更從容安排後事，然後，我們就將香港的命運，交給公正嚴明的歷史。

打壓自由傳媒容易，壓迫香港人的政治要求也不難，難的是如何保持香港的國際地位，保持香港不可替代的價值。失去言論自由的大環境，輿論一面倒，政府缺乏有效的民間監督，社會是非混淆正邪易位，一夜之間價值觀被顛倒。隨之而來的，必定是營商環境惡化，社會公平喪失，官商勾結盛行，反對聲音被消失，最終，社會主義佔領一切，人權與自由被無情追殺。

看看今日中國大陸，「無產階級專政的鐵拳」如秋風掃落葉，凜冬過處，萬物枯萎。日後中共「乘勝追擊」，大陸那一套統治術在香港落地，豈止自由傳媒被虐殺，所有不服管不低頭的普通市民，都將遭受不同層面的清算。中共進一步收服本地與外資金融機構，在財經界興風作浪，文化教育界全面整肅，國進民退，巧取豪奪。香港損失的，豈只是個別的自由傳媒，整個香港都面目全非，東方之珠黯然失色，香港成為死港。

面對惡劣的環境，香港人不要作無謂的犧牲，不要硬碰，要保存實力，安頓自己。

在網絡仍有自由的條件下，不間斷追尋真相，質疑謬論，獨立思考，守護普世價值，保持對統治者洗腦的警惕。

自由傳媒這個陣地雖然失去了，但每個人內心都有一個陣地，我們化整為零，互相呼應，守土有責，寸土不讓，以堅忍不屈的精神，與獨裁者對峙下去。就像很多網友自勉的說法，就與中共鬥長命，以時間換空間，集涓滴之水匯作汪洋大海。

時勢艱難，以後還會更難，大環境在變，以後還會有更大變化，中共正由盛而衰，民主陣營正由散而聚，局部來看，香港人很慘，但長遠來看，更慘的會是中共。世道紛繁，最終決定歷史走向的，不是如狼似虎的統治者，是普遍的人性，政權隨時更迭，只有人性千古不易。

一些藍絲寫手對自由傳媒之死興災樂禍，用心刻毒，這當然出自他們卑劣的本性，中共的文化走狗永遠不明白一件事，獨裁者的權慾是沒有止境的，他們的殘暴是沒有底線的，今日座上賓，明日階下囚。不少大陸文人曾充當中共打手，得勢時窮凶極惡，失勢時痛不欲生。藍絲寫手不讀歷史，不知前車之鑑，今日養熟專制巨靈，日後被牠反噬，便是活該。

在這樣痛心的時刻，謹祝有良知的新聞工作者們一切安好，祝他們保持純淨的思想去面對逆境，祝他們保持專業精神準備伺機再起，再為香港人打拚。

香港人因擁有你們而自豪，因你們而永遠牽掛自由的香港，因你們而增強內在的力量！讓我們風雨同路，攜手同行，捱過凜冬，等待解凍的日子來臨。

塑造孩子的健全人格，才能對抗中共洗腦

對於大多數留港的市民來說，未來最重要的，便是如何抵制中共對你孩子的洗腦。

一個人一生最重要的作品，是你自己的孩子。你不但把他生下來，還要把他養大，還要把他教育成人。你是如何教育自己的孩子，你的孩子就會成為甚麼樣的人。

把孩子教育好，你就完成了自己一生最重要的志業，你可能有機會自我實現，也可能沒有機會，但只有把孩子教育好，你才對得起自己，對得起孩子。

中共要改變香港，一定要改變香港人，中共已經沒有辦法改變目前這兩三代香港人了，所以中共把希望寄托在改變我們的下一代身上，為此，洗腦教育便是往後香港人不可不面對的事。

中共對洗腦教育有豐富經驗，有各種明的暗的手段，在大陸他們就是這樣做的。他們手上有權，有法律，有行政措施，普通市民很難正面去抵擋，因此如何更聰明、更有韌性、更細緻地去應對，便是留在香港的手足們要思考的事。

香港人有那麼容易被洗腦嗎？比起大陸人，我們有更多抵制洗腦的有利條件。首先香港有百年自由的環境，我們有崇尚自由、愛護自由，為自由不惜一切代價的傳統，這種傳統深植在我們的骨髓裡，沒有人可以剝奪。

其次，在當下的法治環境下，除了國安法覆蓋的部分，我們還享有不少自由的範疇，在這些地方，仍然可以讓我們的思想自由馳騁，行動有相當程度的自由空間。

再其次，香港目前還有資訊自由，網絡未受管制，世界各國的資訊仍舊在香港自由流通，全面禁網和焚書有損香港的國際地位，在可見的將來，資訊自由尚有機會維持。

最後，自去年反送中運動以來，自由的訴求更加深入人心，經過一年多的抗爭，我們更堅定自己的政治訴求，更不輕易放棄維護自由的決心。

我們把孩子交給學校，原本是基於對一個教育制度的信心，我們不會擔心孩子在學校裡受到不良影響，相信他們身心會得到正常的發展。但從今以後，這份信心要變成擔心，就是我們不知道學校會教給孩子甚麼知識，灌輸甚麼思想，我們要時刻留意孩子的言行，觀察他們性格的變化，留意他們對日常生活產生的微妙反應。

現在我們還不知道中共如何實施洗腦，他們灌輸一些甚麼謬論，我們要更用心對孩子進行正向的教育，引導他們多讀一些課外書。很多世界著名的童話裡，都包含善良積極的理念，都有對邪惡社會現象的揭露和批判，這些人生的初階教育，是課本上無法提供的。

對孩子的教育要注重言傳身教。父母怎麼說話，怎麼做事，孩子都看在眼裡，有機會的話，應該隨時向孩子解釋，你的理由是甚麼，依據在哪裡，有甚麼好處，有甚麼惡果。不要小看這種隨時隨地的溝通，孩子們很精靈，他們都會記在心裡。

此外，應該鼓勵孩子建立獨立思考的習慣，大小事都和他交流討論，對他的看法給予尊重，讓他保留自己的意見。孩子養成討論問題的習慣，敢於堅持自己的看法，他在課堂上就敢於向老師提出問題，敢於堅持自己的看法。

洗腦最怕的是討論，最好是孩子甚麼都不問，全盤被動接受，不斷重複，讓那些錯誤的觀念潛移默化佔據孩子的心靈。孩子敢於發問，敢於堅持自己的看法，這對洗腦工程就是無形的抵制，就是一種預防針。

孩子養成討論問題的習慣，就敢於質疑成年人的世界。世上沒有甚麼權威是不能質疑的，質疑不是虛無主義，不是自我中心，質疑是對所有社會現象和理念的拷問。正確的觀念經過質疑會屹立不倒，不正確的觀念一經質疑就會瓦解。經過你質疑的觀念最終還站得住，那就是真理，就應該服膺它。

還有，父母親應該帶孩子多參加一些社會活動，去看一個展覽，參加一些活動，和志同道合的朋友一起聚會，無拘無束交談。孩子會從父母親的社交活動中，接觸很多陌生的話語和觀念，這些無形的影響，有助他們人格的塑造。

反送中運動中，很多父母帶孩子參加遊行。有一次，一個四五歲的孩子，站在天橋上引領遊行隊伍喊口號，那個場面真是令人感動。這種參與將在孩子幼小的心靈留下深遠的影響，啟發他們確立一生受用不盡的理性和感性。

你和一個邪惡的政權爭奪你的下一代，如果你甚麼都無所謂，把孩子交出去了事，日後你將得到一個和自己離心離德的孩子，那時你要後悔就來不及了。

孩子是你一生最重要的作品，孩子被洗腦，證明你的一生失敗，你不想失敗，就要看緊自己的孩子。

我向來不憚以最壞的惡意來推測中共

早幾天，在網上看到倫敦街頭一群香港人在合唱「願榮光歸香港」，聽到那個熟悉的旋律，眼淚突然湧了出來。那一刻心中之痛無以言表，但痛就是痛，痛是騙不了人的。

早幾天，看到電視上老朋友程翔接受訪問，說一想到香港就有「亡國感」，雖然香港不成其為一個國家，但國破家亡的感覺刻骨銘心。

早幾天，朋友轉來陳健民教授近期一篇文章，談到他在台灣碰到很多迷茫、痛苦、為生活所迫、為信念所苦的香港人，說他見到台灣人，說起香港人的遭遇，也都會忍不住流淚。

昨天，港共政府出動大批警察，抓捕了立場新聞六個高層，包括：吳靄儀、方敏生、何韻詩、鍾沛權、周達智和林紹桐。立場新聞的資金被凍結，稍後，立場新聞宣佈解散。

更早以前，與年輕朋友說起中共港共踐踏香港的手段，我說鎮壓不會終止，由淺入深，先解決頭面人物，然後一步步擴大，直至在一家公司一個街道發動群眾鬥群眾，直至每個人都感受到無產階級專政的鐵拳，自動繳械為止。

先折磨你，讓你痛不欲生，再「解放」你，讓你感恩戴德。古今中外，從來沒有一個政權，用如此嫻熟有效的手段，去維持自己的統治。中共沒有人性，卻對人性有深刻的了解，這是他們能取得政權，又能將一個毫無公義的政權維持這麼久的原因。

香港人的反送中運動，是中共掌握政權七十餘年間，遭遇最大的一次挫折，共產黨從來沒有在人民的力量面前顯示出無能為力的窘狀。當日要從深圳調兵入港，被特朗普一手阻攔，被迫取消血腥手段，還被特朗普把事情公開，在全世界人面前狠狠羞辱了一次。這筆帳，中共不與香港人清算，如何消心頭之恨？中共借助國安法管治香港，「由亂返治」來之不易，為此付出巨大政治代價。臉皮已經撕破，一國兩制已經破產，中共一定會用盡一切手段，收服香港人，一定會把事情做絕。

魯迅說過：「我向來是不憚以最壞的惡意，來推測中國人的，然而我還不料，也不信竟會兇殘到這地步……」把中國人換成中共，這句話也是成立的。有人以為，中共收服香港，就是看中香港的價值，他不會把香港搞死，這是以正常人的理性去揣測中共，但中共豈是正常人？

老毛一輩子搞政治運動，有一條準則，便是每次運動都要搞過頭，殺更多人，關更多人，寧肯殺錯也不放過。他說運動只有搞過頭，才能搞充分，搞過頭了才往回收，就不會不徹底。以為抓了知名度高的民主派領袖之後，中共就會收手，那是對中共太天真的想法。每次政治運動，老毛總是對地方作批示，說你們還是殺得太少，要再殺一批。他定的指標是5％，以六億人計算，5％是三千萬人。

中共把香港當作大陸一個城市來治理，會用對付大陸人民的所有手段來對付香港人。近年中共把大陸城市劃成不同小區，每個小區設一個網格員，監視小區內每個人的言論和行動，以此來控制社會。某市僱用二萬名網格員，每個網格員負責監視一百二十個公民。

日後香港如果把清查反送中運動深入到社會底層，到每個街道、每間公司去清理階級隊伍，把香港劃成幾萬個網格，僱用幾萬個網格員監視七百萬香港人，那也是不奇怪的。我寧肯揣測中共更無人性，也不揣測他尚有一點理性；寧肯對他死心，也不肯對他抱有幻想；寧肯與他不共戴天，也不肯和他共處在同一個世界。

香港人在苦難中，我們身在外面的人，無法分擔這些痛苦，只能以我們心中的痛來追悼垂死的香港，然後守護我們的良知，做力所能及的事。「故園東望路漫漫，雙袖龍鍾淚不乾。馬上相逢無紙筆，憑君傳語報平安。」

能走的趕緊走，不能走的就保護好自己，已經走的，外面再苦也千萬不可回頭。讓我們彼此關顧，以微薄的力氣，守護我們的良知。

以結果為目標：李家超禍港必超林鄭

本來都不想談李家超了，但看到他的競選綱領有「以結果為目標」，忍不住又想損一損他。

中共近年的施政，時興發明一些新概念新說法，一則為顯示高明，就是不斷杜撰施政理念，挖空心思創作新口號，以此讓民眾信服崇拜；二則為顯示高深，讓民眾雲裡霧裡摸不透，新說法內涵模糊沒有邏輯，正說也可，反說也可，怎麼說都正確。

防疫的「動態清零」有誰明白？有動靜清零，莫非還有靜態清零？最近又出現一個「全域靜態管理」，誰能說個究竟？一時動態一時靜態，那到底防疫是動還是靜，發明者自己明白不明白？至於內循環外循環，更是大笑話了，世上有哪一個國家是只靠內循環或外循環生存的？古今中外，經濟發展本沒有邊界，給中共搞一搞，好像是他們第一次發現真理。

隨時發明各種古怪說法，貌似新鮮，其實無聊，已經成為中共執政的習氣，各級政府都在玩，沒想到，李家超未上場，也開始鸚鵡學舌。

人不是不能創造新說法，但你首先要理清楚那個新說法中的常識與邏輯，連舊概念都未搞清楚，互相之間的邏輯關係不能自洽，「夾硬」拼湊出新說法，既經不起推敲，更暴露不學無術的淺薄。

結果與目標是甚麼關係？世上事，先有目標才有結果，不可能先有結果才有目標，因此，說以目標為結果，那是正常的，說以結果為目標，那是倒果為因，自欺欺人。

人可以訂出自己的工作目標，目標是虛的，目標是行動的方向。比如說我計劃每天要跑五千米，那是目標，但我有時跑五千米，有時跑六千，有時只跑四千，那是結果。目標可以定死，但結果沒有人知道，你以結果為目標，但結果是甚麼你根本不知道，既然結果不知道，你的目標是甚麼，你知道嗎？你連自己的目標都不知道，更何況結果？

比如說，中共定「清零」為目標，不管能不能實現，定這個目標本身沒有錯，但清零永遠清不了，不但清不了，而且勞民傷財，造成不可彌補的損失，那叫做結果。中共政府可以定清零為目標，但能不能以巨大損失的結果為目標呢？如果清零以勞民傷財的結果為目標，那當初定下「動態清零」的目標，豈不是一開始就沒安好心？

又比如，林鄭搞送中法案，當初只是為討好中共，出賣香港利益，這是她的目標。法案推出後引發反送中運動，揭發中共真面目，為一國兩制送終，這是她作孽的結果。照李家超的神邏輯，若林鄭以結果為目標，那就是她從一開始就準備斷送中共的一國兩制，損害中共利益，證明她從一開始就以反共為職志。

李家超提出「以結果為目標」，並沒有說明所謂的「結果」是甚麼？他還沒有開始執政，已經知道施政的結果了，他豈不是比習近平更偉大？其實，只要說清楚你的目標是甚麼就足夠了，至於能不能達到目標，那只是結果。目標可以高唱入雲，結果也可以狼狽落地，至少那是正常的思維邏輯，你或許說大話，但至少還算正常人。

天底下有誰在沒有開始做事之前，已經知道做出來的結果？做一件事，結果是好是壞，決定於天時地利人和，決定於你的思想水平與工作能力，決定於你為自己定的目標是否合理。目標可知，結果永不可知，世事永遠如此，李家超連這點基本常識都沒有，還要扮高深扮新銳，也太不自量力了。

李家超武官出身，缺乏文化修養，打人捉人本事大，宏觀思考的基本訓練卻欠奉。本來，沒有能力創新說法，你就老老實實說點「人話」，那倒也罷了，可惜他又要追慕中共的宣傳伎倆，顯耀自己與別不同，發明「以結果為目標」的口號，根本是自暴其短。

林鄭在最後一份施政報告中定下四項目標：發展「北方都市區」、連接深圳的新鐵路線、創新與資訊科技、香港走向綠色環保，目標很好看，「結果」無一實現。如果林鄭當初也以「結果」為「目標」，那她只要在施政報告中宣佈：「我最後任期內將一事無成」，那就可以了。

林鄭施政的「結果」，比起她沒有實現的「目標」，對香港人的危害大過千萬倍。做了五年，林鄭的「目標」無一實現，她的「結果」卻是被中共始亂終棄，遣送回家，若以此「結果」為「目標」，她倒真的實現了。

中共指定四個特首，一個衰過一個，現在輪到李家超，只怕更衰過林鄭。不管誰上場，香港都會被中共玩死，李家超若以此「結果」為「目標」，香港沒有最慘，只有更慘。

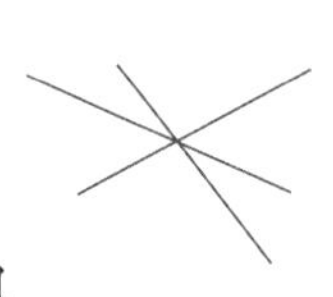

「忠誠的廢物」是中共自己豢養起來的

范徐麗泰的「兩制財經說」（一國兩制的兩制，只包括經濟和金融，不包活政治），是近期最奇葩的謬論，它不但妄顧基本法，妄顧現實，妄顧人心，甚至妄顧中共的基本體面。香港「回歸」二十三四年，中共從來不敢說「兩制」只涉財經，不關政治體制，因為基本法於香港現存的政治體制、未來的政治遠景，都有權威論述，不能明目張膽文過飾非。

中共不敢全盤否定基本法，還想竭力維護一個開放的格局，還要吸引外資，維持香港國際金融中心的地位。范徐麗泰扭曲香港的兩制，言下之意即是，香港要全盤照搬大陸的政治獨裁體制。這對那些長期看好香港的一國兩制，希望在香港獨特的政治環境下，繼續從事正常的商業活動的國際投資家、跨國公司財經領袖，是當頭一棒，無異於對國際財經界大喝一聲：你們的好日子到頭了！

世界上沒有一個先進文明的政府，會把一個國家和地區的政治制度，與該地的財經金融制度割裂開來？你有社會主義的政治制度，就必然有計劃經濟，一黨獨裁的財經金融制度；你是資本主義市場經濟，就一定要有自由、法治和公平的政治體制相適應。即使是中共，也不敢搬出范徐麗泰的「兩制財經說」來糊弄香港人和外國人，因為那離事實太遠，也離自己制定的基本法太遠。

這是范徐麗泰身為中共馬前卒的一個姿態，既為馬前卒，當然要比中共的身位超前幾步，中共今日把玩基本法已經肆無忌憚，中共既有此用心，范徐麗泰心領神會，就要奮不顧身，超前打點，製造輿論，鋪墊氛圍，中共走前五步，范徐麗泰們要走前六七步，那樣才合乎馬前卒的身分。

但這一步也走得太遠了，遠得中共跟不上。不信，海內外記者可以直接去查詢一下人大常委會，看看他們是否認同范徐麗泰的說詞。對范徐麗泰的說法，中共其實相當尷尬，認也不是，不認也不是。認的話，自己無法自圓其說，基本法擺在那裡，條文清楚，意涵明確，不能自打嘴巴；不認的話，范徐麗泰又是人大常委會委員，有官方的身分，按理她不能胡說八道，她的話一定有相當的背景，有高層的人認可她才敢說。

如此，不是讓人大委員長揹了一個黑鍋嗎？

泰如此英勇出位，表示自己比別的建制派有創意，敢於言人所不敢言，為中共摧毀一國兩制作開路先鋒，可惜她沒有準確拿捏中共的意旨。走到這一步，與全面取締基本法已經沒有多大分別，與其扭扭捏捏，猶抱琵琶半遮臉，不如索性撕下面紗來，直接宣佈廢除基本法，香港由中共接管，中央派市委書記來，再找一個香港人做市長，如此豈不更痛快，更不用綁手綁腳？

范徐麗泰這一謬論，一定沒有與中共官方協調，只是為取悅當局，不惜豁身一搏而已，「忠誠的廢物」就是這樣煉成的。不只范徐麗泰一人，香港現在躍躍欲試的建制派，都在磨拳擦掌，絞盡腦汁，越想出位，越是各出奇謀，互相踐踏，這是生產「忠誠的廢物」的天時地利，此時不出，更待何時？

中共豢養門客，有一些有效套路。有的以名利地位相誘，有的以經濟利益交換，有的以國家大義説服，有的紆尊降貴待如國賓，有的捉住痛腳作威嚇，去到社會底層，就以愛國情操洗腦。

各人身分不同，所用的手段有異，每個界別都有專人跟進，把相關人列檔，分屬左中右，左派可依靠，中間派要爭取，右派要孤立，天羅地網一樣，無人漏網。

可惜，建制派充斥像范徐麗泰這樣的「廢物」，是否忠誠唯有天知，但「廢」則不相上下。滿朝文武，無一不忠，無一不廢，二十三年來搞到一鑊泡。香港人冇眼睇，只好聽任香港淪落下去。

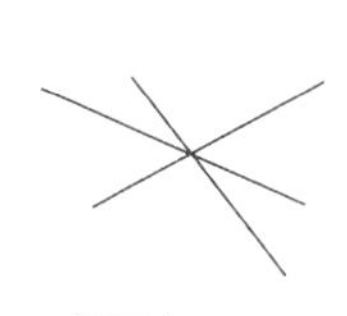

「一法安香江」——安從何來？

中共強推國安法，張曉明說「一法安香江」，這句話說得豪氣干雲，但問題是，「安」從何來？

中國古老的智慧，一個朝代要「安」，最基本的條件是政通人和：政事要通達，人心要和順，兩件事二元歸一，就是政事要得人心。政事得人心，自然就通達，政事不得人心，就上下失義，官民扞挌，血脈不通，百病叢生。

以現代觀念來看，一個國家和地區要「安」，就是要有官民一致的價值觀，要有穩定的法律系統，要有理性寬和的文化。價值觀統一，官民有共同意志，穩定的法律系統才能提供足夠的安全感和公平的機會，理性寬和的文化，可以化解社會不同層面的矛盾。

國安法不由分說凌駕香港，受威脅的絕不只是保自由爭民主的抗爭市民，七百萬香港人無一倖免，都在這條惡法的籠罩之下。香港行之百年的英式法治至此瓦解，香港人的安全感至此摧毀，香港中西交匯的文化至此崩解。

有沒有香港人由此惡法得益？可以說幾乎沒有。因為所有香港人，包括政府官員、大富豪、專業人士、白領藍領，無一不從舊香港的體制中得益，人人都因舊香港而生活安定事業有成，對未來充滿信心，回歸前如此，回歸初期也如此。

舊香港歲月靜好，摧毀舊香港就是摧毀我們幸福生活的根基。惡法一到，一切面目全非，預後凶險，沒有人再對未來抱樂觀的期待。如此，「安」從何來？

包括終審庭前任現任首席大法官在內的幾乎整個香港法律界，無不對基本法被侵凌抱持深切的質疑和擔憂；所有大財團大家族，無不面臨不可預測的投資環境，表面擁護內心顫栗；不同界別的專業人士，隨時因言論與行為誤踩國安紅線，而要承擔可怕的後果；至於普通市民和他們的子孫，只要稍有不慎，都可能墮入惡法陷阱，隨時遭遇厄運。如此，「安」從何來？

國安法一意孤行，一心耍橫，擺出一種我是流氓我怕誰的姿態，不計後果挑戰西方世界。此後各國制裁陸續有來，香港將遭遇前所未有的打擊，這些打擊不但落在中共身上，也不可避免落在香港人身上。香港的經濟繁榮即將報銷，國際地位螺旋式滑落，港人生活質素大幅下跌，從今而後，只有不可知的命運等待七百萬人。如此，「安」從何來？

中共統治中國，用的是謊言與暴力兩大劣政，數十年洗腦教育摧毀中國人的認知能力，長期暴力管治制造社會恐怖氣氛，中國人忍受中共數十年的專制統治，既無覺悟也無勇氣挺身反抗。

與此相反，香港人百年來浸淫西方文明，資訊自由流通，民主雖未成型，但自由、人權和法治卻已深入骨髓。舊香港的美好生活一旦喪失，香港人有切膚之痛，一定會拚死抗爭。在國安法籠罩之下，抗爭的方式或會改變，但抗爭的意志不會消滅。市民心不服，民怨如地火運行，如此，「安」又從何來？

中共為國安法付出極大的政治代價，得不到一個政通人和的香港，「一法安香江」只是自我陶醉而已。以嚴酷刑罰恐嚇，以高壓政治管控，以謊言洗腦，以空話收買，能令香港人心安嗎？香港人心不安，香港能安？香港不安，中共能安？中共不安，中國能安？

今日香港人被逼入絕境，不反抗只有死路一條，年輕人矢言「攬炒」，就是準備與中共同歸於盡。人民決心與你同歸於盡，你自己想想，你的「安」又從何而來？

當下中共百病纏身，正是需要休養將息的時候，本應與香港人和解，與全世界和平共處，不料中共反其道而行之，竟想以一部國安惡法鎮懾香港人、對抗全世界，如此破罐子破摔，令人懷疑中共領導人已失去正常的理智。惡法既頒下，香港人唯有以自己的方式面對，來日是凶是吉無人可料，但香江不會因「一法」而「安」，卻是可以肯定的。

面對真實的自己，才能面對不道德的社會

久無陳健民教授的消息，最近朋友轉來兩篇他在台灣接受媒體訪問的報道，這才知道他別來無恙，一直在教書、參加活動、尋尋覓覓，安頓自己的心靈。

在訪問中陳健民回顧了從佔中以至坐牢，以至出獄後反省香港人的抗爭，以至決定離開香港，以至去到台灣之後個人的心路歷程。

讓我印象深刻的是，陳健民很少說「高大上」的空話，很少慷慨激昂，他倒是不斷地在反省，反省香港人抗爭的道路，反省自己在這些抗爭中的定位，反省離開實際社會運動之後個人的複雜心態。

他說「一個不道德的社會，沒有給人一個可能是對的選擇」，就是你選擇服從，或選擇抗爭，或選擇沉默都是沒有用的，因為不會有任何效果。選擇服從固然只是屈辱，選擇抗爭是無謂的犧牲，選擇沉默當然也不會有進步。

當一個人身處一個不道德的社會，他能做甚麼呢？陳健民不諱言自己出獄後，以至到台灣任教一段時間以來，自己經歷的徬徨、沮喪，失語與無助，他教書寫作，與同行者分享，參與社會活動，跑步練身，都是一種自我療癒的過程。

陳健民經歷的這些心路歷程，是我們每個人都已經、正在與將要經歷的心路歷程，我們甚至無法擺脫這些心魔，它會一直糾纏我們，直至時代徹底改變，或我們把它降服了為止。

反送中運動被鎮壓下去後，香港人一時都失去方向，我們都有一種無力感，一種被時代拋棄的委屈與怨憤。但我想說，這種類似的經歷與心路，是世界上很多民族與國家的人民曾經經歷過，以及正在經歷的，我們沒有比別人承受更多，也沒有比別人更軟弱或更堅強，大家都在同一種時代潮流裏脅下蹣跚前行，因此我們更應該用一種平常心來面對。

陳健民說起香港人，就說「那是一個受苦的共同體，大家都覺得能碰到志同道合的人，已經是一種力量」。我很認同他這個「受苦的共同體」的說法。香港人命運與共，理想趨同，歷史加諸我們身上的痛苦與承擔，彼此沒甚麼分別。我們一起鬥爭過，一起失敗，一起受難，我們就是一個共同體，苦與樂相同，福與禍相同，生與死也相同。

每個參與過政治抗爭的香港人，都是這個「受苦的共同體」的成員，不論現在身居何處，不論在坐牢或在流亡，不論在做事或不在做事，我們現在要面對的，不只是香港的處境，而是整個變動不居的時代。香港不外在於時代而存在，香港在中共野蠻統治下，中國又在激烈衝突的世界中，我們面對的不只是香港，不只是中共國，我們還面對整個世界和整個時代。

我們思考自己的處境，就不應該只從個人狹隘的角度出發，應該從大局出發，看得更遠一些，更廣闊一下，更深入一些。唯有把我們自己放在更大的背景下來看，我們才能找到自己的位置。

每個人都是具體的生命，生老病死，甘苦哀樂，各有前因後果，各有生命的軌跡，但我們最先要做的，就是要面對真實的自己。好像陳健民教授那樣，他每天反省自己，叩問自己的心靈，自我審查，自我批判，他就是先要把自己搞清楚了，才能搞清楚這個「受苦的共同體」，才能搞清楚整個世界與時代。

古語說「人貴有自知之明」，就是你認識外部世界雖然也很難，但難不過認識自己。人往往以為世上沒人比自己更認識自己，其實這是自欺欺人，除非你從心智成熟的那一天起，就不間斷地拷問自己，質難自己，與自己鬥爭幾十年，那樣你才能把握自己，否則，多數人都是渾渾噩噩、糊裡糊塗就過了一生。

我很欣賞陳健民教授這種自我完善的人生哲學，人只有直面自己的真實心態，承認自己的性格弱點，然後才能去調整和革新自己。人只有這樣不間斷地自我鞭策，才能使自己有充足的生命能量和明智曠達的思想，去面對不道德的社會，面對不確定的未來。

陳健民教授發起與參與了佔中運動，為此坐過牢，付出個人事業和生命損耗的代價，但他一直保持樂觀開朗的心態，這是很難得的個人修養造就的。他的精神力量來自閱讀，來自先賢的言傳身教，來自不懈的自我反省。我希望每個「受苦共同體」中的香港人，都像他那樣，吸取古今中外的精神食糧，涵養自己的心靈，然後才能共同面對未來的挑戰。他說：「人會成長，社會也是，最後需要的是尊嚴。自主就是一種尊嚴。」自主從何而來？自主就是從自我完善而來。

保全自己，冷眼看世界，做能做的事，與征途上的戰友同行，安頓好自己的心靈，然後，我們以平常心療癒自己，靜待世界大變到來。

今日世界是我們在反送中運動初期不敢想像的，民主與專制的生死決戰，很可能就在瞬息之間發生。時代之大變，有我們香港人的血汗在裡面，這是值得我們自豪，也是值得我們繼續保持堅忍與期待的原因。

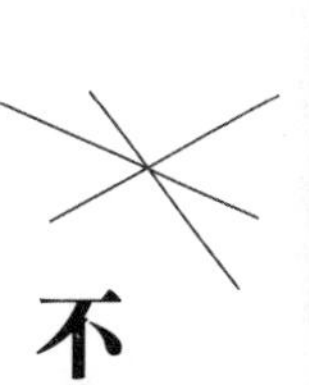

不要讓服膺真理的孩子落單

因為反送中運動，據說有很多年輕人因為與藍絲父母「反面」而被迫離家出走。這些堅持個人理念的孩子無家可歸，被迫流落街頭，衣食住行都有困難。

筆者聽到這個消息，既心酸又心痛。這些香港人的孩子，不幸生於亂世，他們又那麼早熟，有的甚至未成年，就將社會責任扛在瘦弱的肩上，然後一無反顧地去承擔時代加在他們身上的苦難。（早前有一個十一歲的孩子，趁藍絲母親外出，自己騎單車出來參加運動，面對鏡頭訴說自己的委屈，忍不住傷心流淚）

他們固然勇敢，但社會對他們應該有足夠的支持，不要讓他們受苦，不要讓他們太孤單。沒有家庭的溫暖，社會應該給他們溫暖，沒有家庭照顧，社會應該照顧他們。我不知道有沒有社會工作者，或有心人去關心一下這些流落街頭的孩子，有甚麼辦法可以提供最貼心的照顧給他們，讓他們至少在參加抗爭活動之後，可以吃飽飯，有地方休息，有地方洗澡，有一些朋友互相關照互相支持。

可能有人已經在做了，如有適當的渠道讓孩子們求助，應該廣泛宣傳。筆者認為，社會大眾在抗爭之餘，要關注一下這個獨特的社會現象，不要讓這些與家庭決裂的正義孩子們落單。

有沒有可能眾籌一筆錢，租下一些單位，作為臨時集體宿舍，讓他們有地方落腳休息，不用在麥當勞或公園長椅上過夜。夜間很快會冷起來，他們平日也算嬌生慣養，突然露宿街頭，更加苦不堪言。他們也可以在宿舍裡沖涼，整頓自己，免得像長年的露宿者那樣衣衫襤褸，沒有自尊。

有沒有可能籌集一點錢，作為他們日常的開銷。三餐要吃飽飯，要有點零用，買一兩身替換衣服，買一點日常用品，剪個頭髮，偶爾看一場電影，或約三五朋友喝一杯咖啡。

有沒有可能有一些家庭，各自臨時「認領」一個孩子，平日關心他們，與他們傾談，了解他們的需要，安撫他們的情緒。反送中市民中有不少中產人士，有的兩夫婦沒有孩子，家庭簡單沒有負累，如果能善用自己的閒暇，給這些孩子一點力所能及的關懷，也是善莫大焉。

有沒有可能有一些社工或教師，在這些孩子和父母之間，居間作一點調停，互相拆下心防，減少對立情緒，讓孩子回家，過上正常的生活。孩子離家，父母豈會開心？只要有中間人調停一下，很大可能找到和解的方法。此後兩代人互相尊重，不將自己的理念強加於對方，那對彼此都有好處。

如果一個孩子，抱著青春的激情和正義的果敢，投入這一場與獨裁統治者對抗的運動，他們頂住家庭的壓力，以離家出走表達自己的決心，在大是大非面前選擇服膺真理，那至少證明，這些孩子有理想有良知，有社會責任感，精神境界高尚。參加反送中運動，是他們生命中光輝的一頁，日後想起來，一生都會感到自豪。這些孩子們身上的正氣，是我們這個社會的寶貴資產，值得我們好好珍惜。

筆者認為，對這些孩子來說，最重要的是他經歷了如此的苦難之後，對人生還保有樂觀積極的精神，他們仍然相信未來是光明的，世間的是非曲直最後都能得到澄清。相反的，如果因為他們離家出走備嚐生活辛酸，孤獨無助又產生沮喪失意的情緒，那對他們精神上造成的打擊，可能對他們的未來產生深遠的負面影響。

近日林鄭出來見記者，強調中央對她信任，又撐黑警，這當然是過墳場吹口哨，自壯行色的伎倆而已。中央如果要她撐到明年三月，怎麼可以現在就不信任她？至於撐警，應該是對早前說過「不盲撐」引起警察內部的反彈，所作的一點補鑊而已。

運動膠著，有時看似陰雲密佈，雷電交加，有時又看到陰雲裡有一線陽光，這都是正常現象，道路曲折，更需要眾志成城。勝負不須論，堅持下去就知道結果，黃絲中藏龍臥虎，能人很多，最近又興起黃絲經濟圈的新主意，很有可行性，想來令人會心微笑。好主意層出不窮，有排鬥，要鬥下去，更要關心下一代。正面戰場上堅持之餘，騰出一些時間精力來，關心一下流落街頭的孩子，同上同下，不要讓一個人落單。

包容是一種人生境界，不是一種處世策略

有人在網上貼文，說與女朋友就愛不愛國的問題鬧得很不愉快，不知道應不應該把這段感情維持下去。有人回答他，說對不同政治立場應該採取包容的態度，因為民主的要旨就是包容不同意見。

我看了這個問答，頗為這位網友擔心，不知他後來與女朋友如何解決。

對不同意見的包容，要看對甚麼人，針對的是甚麼問題，要看對方的出發點如何，也要看對方的性情如何。包容不是單方面的，彼此都有包容之心，才可以互相包容，你對一個偏執的人是無法包容的，你要包容對方，只有讓渡自己的立場才能達到。

你可以對習近平包容嗎？可以對林鄭與李家超包容嗎？反過來，中共港共也從不會對香港人的政治異見包容。

互相包容的前提是彼此都講道理，而且都服膺真理，有一方不講道理，或者明知錯了仍不肯反省，那是沒辦法包容的，除非你放棄自己的立場去遷就對方，到這地步，那也不叫做包容了，那叫做苟且。

世上有兩種人，一種人明理，一種人不明理；世上有兩種人，一種固執己見，一種善於自省。

不明理的人不可怕，可怕的是不明理而又固執。一個冇腦的人如果不固執，會隨時聽取別人的意見，修正自己的看法，這種人以勤補拙，總會有進步。但有些人不明理而又自信，從不反省自己，這樣的人神仙也難救，因為他把天下最不堪的兩種毛病都佔齊了。

在政治與人生問題上，不可能要求人人都與自己一致。有些關係是不可改變的，比如父母、兄弟姐妹、妻子兒女，這種關係跟你一生一世，你無法解脫。在這些命定的關係中出現不可調和的立場分歧，你只好接受，嘗試理解體諒，那種情況，可以叫做包容。

除此之外，朋友、同事、鄰居等等社會關係，都不是命定的，可以隨聚隨散，不必強求一致。能互相包容，那是彼此都很理性，立場雖有分歧，但不是致命性質的，真的去到極端，最多也就是一拍兩散。

包容並不是民主的終極意義，民主是承認不同意見的存在，但不是對不同意見的苟且。民主社會也有矛盾鬥爭，有時甚至也是殘酷的，問題不在於矛盾鬥爭，而是矛盾與鬥爭維持在和平相處的範圍之內，不必以消滅對方來解決。

與父母、兄弟姐妹、妻子兒女的矛盾和衝突，能解決固然好，不能解決的，最終以取消骨肉關係，那也可能發生，有人登報解除親人關係，這也是解決問題的方式。可見包容並不是最高原則，最高原則是真理，真理面前人人平等。

至於與相愛的人互相包容，那要看要包容的是甚麼問題，對方是甚麼樣的人，包容的結果有沒有機會取得共識。如果暫時的包容只是將問題壓下不表，而彼此的人生觀和價值觀的衝突永遠存在，結果就是，你在這個問題上包容，但矛盾和衝突會在另一個問題上爆發出來。

一世人流流長，人生觀與價值觀南轅北轍，衝突隨時都會發生，那麼你就要問自己，我是不是永遠願意和可能對她包容下去？兩個人還在互相認識的階段，發現關係不可調和，揮慧劍斬情絲為時未晚。現在不斷，日後也要斷，既然終究要斷，不如早日快刀斬亂麻，一了百了。

人說一夜夫妻百日恩，豈只百日，是百年生死與共。人說夫妻情投意合，情投容易，意合才難，情之相投，是以意之相合為前提的，所以在考慮正式的夫妻關係之前，對彼此人生觀與價值觀的考量至關緊要，將包容視為最高原則，會誤了自己一生。

當然，當代社會離婚已是家常便飯，合則來不合則去，年輕人或許未結婚已想到離婚。我只想說，婚姻是人生大事，不要輕言包容，而不深究彼此的人生觀與價值觀。

反送中運動中，不少年輕人的政治立場與父母親相背離，承受比一般人更沉重的精神痛苦，這是沒有辦法的事，只有自己去面對。相反的，我們更常見年輕情侶攜手走在抗爭的第一線，那是令人為之動容的情景。不管如何，一段關係未確定，對方已顯示出冇腦又固執的態度，對你來說不是包容的問題，而是有沒有決斷的問題。

包容是一種人生境界，不是一種處世策略，有些事可以包容，有些不可以；有些人可以包容，有些不可以；包容不是解決問題的唯一辦法，有時候，甚至不包容才是。

來日大難：李嘉誠甩賣新盤的微言大義

李嘉誠七折賣樓，引起全世界震盪。有人說，李嘉誠賤賣新盤，是因為香港過去樓市升得太厲害，李嘉誠調低售價，只是預防香港樓市過熱的措施。我還從沒見過地產商主動抑制樓價的事，樓市過熱，吃虧的永遠都是小業主，地產商趁樓市熱大賺，即使樓市冷下來，他也已經賺夠了。我不知道李嘉誠手上還有沒有其他樓盤，如果有，甩賣只是倒自己米，如果沒有，他不是要給其他地產商罵死？

李嘉誠此舉只有一個出發點，就是他對香港未來投一張不信任票，這不是一個樓市信號，也不是一個經濟信號，這是一個政治信號。

自中共國安法公佈，特區政府秉承中共意旨，實施嚴酷管控，香港的法治一路衰敗，港人的自由一路削弱，香港的政治環境惡劣，營商環境惡化，這是一個基本的事實。無國界記者組織公佈的世界新聞自由指數，香港由排名68，暴跌至148；而一項人類自由指數，香港由全球第3跌至34。近年香港人移居外國的人數有四十萬人之多，其中大部分都是專業精英；香港與中國簽定貨幣互換協議，香港庫房成為中共的提款機；中共戰狼外交得罪全世界，香港也從萬人迷變成乞人憎。

政治環境的惡化，導致不少跨國公司將總部遷移至新加坡，外資大行也大量裁員以適應未來暗淡的前景。香港的政治環境不妙，因為香港政府只是提線木偶，中聯辦與港澳辦是特區政府的太上皇，國安公署成為香港警察的頂頭上司。從前政府依法辦事，商人可據理力爭，此後商家們只是中共砧上肉。

經濟環境變，是因為政治與文化環境變，香港前景之不妙，建基於中國前景之不妙。李嘉誠七折賣樓，基於他對全局判斷的悲觀預期。美中關係惡化，西方民主國家對中國在外貿、科技、外交、軍事上的制裁與圍剿永無止境，中共內部經濟處處爆雷，社會問題叢生，最致命的是政府束手無策。習近平對現狀絕望，對未來悲觀，全部心思只用在清理門戶與準備戰爭，已無心內政外交。

經濟惡化帶來民生困頓，社會不穩，民變四起，中國的政治大動盪正在醞釀之中，中共一旦崩潰，香港無以置身事外，到時天下大亂，地方割據，難民蜂湧而至，香港將成為失防的孤城。

對香港未來的悲觀，基於對大陸未來的悲觀，對大陸未來的悲觀，基於內外局勢不可救藥，李嘉誠七折賣樓，出於他高度的政治智慧與人生智慧。他在災難來臨之前預為之謀，走得快好世界，原因正是他對世局的認知比一般人更宏觀更前瞻。

李嘉誠一生勤奮用功，對知識如饑似渴，有過人的膽識，做生意進退有據，判斷政治動向和時代潮流高人一籌，他每每敢為人先，又能在危機來臨之前安全撤退。早在二〇一三年，李嘉誠就拋售大陸地產項目，當年官方媒體以「別讓李嘉誠跑了」一文對他施加壓力，李嘉誠不為所動；多年來李嘉誠也先後拋售一些香港的項目，不過做得低調而已。面對社會輿論質疑，他顧左右而言他，多做事少說話，往往又在關鍵時刻快刀斬亂麻，我行我素。

李嘉誠長袖善舞，他與中共及特區政府維持體面交往，中共有求於他從不推托，但他又保持自己的獨立性，不做賣笑爭寵的事，不做中共的跟班。中聯辦為梁振英助選，李嘉誠票偏偏票投唐英年；反送中運動初期，特區政府暴力鎮壓，李嘉誠公開呼籲「對接班人手下留情」，冒被中共報復之險為香港說情，他愛惜香港又特立獨行，因為有主見有底氣，不作墻頭草。

他在香港發達，沒有香港就沒有他的一切，但這個香港主要是港英時代的香港，香港優良的制度，香港人的擁戴，造就他恢宏的事業。他對香港感恩，眼看香港在中共手上一路淪落，難免有不忍之痛，這是不問可知的。李嘉誠七折賣樓，與其說是他在收拾細軟準備逃命，不如說是他在對香港人發出政治預警，提醒我們來日大難，早作打算，不管他有心無心，我們都不要低估他的政治智慧。想走不想走，能走不能走，大家都多預留一點迴旋餘地，以免災難臨頭時慌不擇路。

有人又會笑我想多了，我的人生哲學是寧肯想多不要想少。李嘉誠此舉有異，引人深思，以上推測信不信由你，反正我信了。

輯二

北望河山

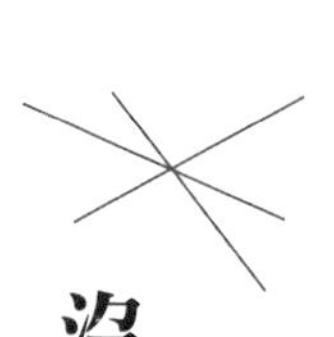

沒有習近平就沒有新中國（之一）

這個標題有點聳人聽聞，這裡的「新中國」，指的是未來的民主中國。意思是，習近平一定會造就中共的覆滅，沒有人會比他更快更有效地結束中共的獨裁統治。

最近有一篇《客觀評價習近平》的文章流傳很廣，文章四萬多字，我沒有讀全文，只讀了一些概述和評論。這篇文章分析了一些習近平的性格弱點，我同意部分觀點，但覺得仍未說到要害上。

習近平最大的問題是平庸，缺乏起碼的政治智慧，他的胸襟和見識，不足以帶領一個處在世紀政治風雲中生關死劫的政黨。一個政黨的生老病死，有其必然性，也有其偶然性，必然性是黨的意識形態是否符合時代潮流，是否符合廣大人民的整體利益，是否符合人民對未來生活的期望。偶然性是，這個黨處在甚麼樣的內外發展條件，由甚麼樣的人帶領，這個人具有甚麼樣的素質。

老毛很邪惡，老鄧很現實，但他們都有政治洞察力，有大氣魄和大謀略，雖然他們也幹下不少壞事，但在他們手中，中共畢竟取得成功。老毛是打江山坐江山，老鄧是改革開放，習近平有甚麼？習近平最大的功德，是在短短十年之間，把幾朝元老開啟的大好局面都荒廢殆盡。

在習之前，江胡兩朝打下改革開放頗好的基礎，江胡二人也都是平庸之輩，但他們不集權不弄權，各自倚重國之能臣，一個朱鎔基，一個溫家寶，都是能做事的，雖然不敢動政治改革，但始終面對危重的局面，使中共這條船駛過驚濤駭浪。

習近平平庸，表現在他缺乏起碼的政治洞察力。所謂政治洞察力，就是在紛繁的時局中辨別真相、認清潮流、高瞻遠矚、趨利避害的能力。沒有政治洞察力，就不知道問題的要害在哪裡，鬍子眉毛一把抓，丟了西瓜撿了芝麻，斷事顛倒輕重，處事毫無章法，永遠在為自己挖坑，坑越大越得意，永遠在為對手助力，力越強越自豪。

老毛有政治洞察力，打江山的年代以小搏大，善於利用蔣介石的弱點，在不同政治勢力之間巧妙周旋，最終領導中共取得政權。老毛夠無恥，夠膽略，為達目的不擇手段，但他那些手段至少都是有效的。

老鄧在中共瀕臨崩潰時，大力扭轉方向，休養生息恢復元氣，對內借助資本主義市場經濟，對外向美國乞憐，營造一個良好的內外環境。他實行的韜光養晦，就是為中共爭取時間，以追求改革開放之名，達到中共反攻復辟的野心，以此迷惑西方政要。

反觀習近平，在二十一世紀的時代民主大潮中，仍堅信共產主義將統治全球，這就從根本上誤判了人類整體的發展方向。人類的發展自有其內在規律，但總的方向是趨近人性之善，其間不同政治力量的反復較量，會有進退起伏，但建基於基本人性的大趨勢，是不可逆轉的。

這是最基本的政治洞察力，也是為甚麼蔣經國能一眼洞悉世界民主潮流，大膽開啟台灣民主改革的最根本原因。

政治洞察力還涉及對時局的分析判斷，國內外局勢瞬息萬變，紛繁複雜，很容易被假相迷惑，能否從中抽絲剝繭，去偽存真，識別主要矛盾和次要矛盾，並以此為基礎作出準確關鍵的判斷，這是一個政治領袖必須具備的基本政治能力。

習近平上台八年，之所以作出如此之多的誤判，最重要的原因便是他缺乏對大局的洞察力。他被假相迷惑，被表層的現象誤導，看不到深層次的矛盾，中國的暫時暴富被他當作永遠的榮景，美國與西方的容忍和遷就，被他看作軟弱與疲憊，國內經濟社會的流弊被忽視，官民之間的矛盾被掩蓋。

本來沒有實力與美國較量，他偏偏去挑起事端；本來經濟的痼疾積重難返，應該借市場力量作大調整，他偏偏急速向左轉，摧毀市場根基；本來內部有問題，應該對外修好，外部矛盾激化，應該鞏固後方，他偏偏內外亂箭齊發，擴大戰線；本來經濟發展乏力，應該調動民間積極性，他偏偏大殺四方，搞得人心惶惶；本來與美國交惡，應該與其他西方國家交好，以抵消美國的壓迫，他又偏偏四面樹敵，壯大敵營，削弱自己。

所有的誤判和亂搞，把一個不壞的棋局徹底摧毀，江朱胡溫兩朝積下的家底，幾乎一夜之間被他糟塌殆盡，速度之快，傷害之深，都是世所罕見史所罕見，足證缺乏政治洞察力，是他的致命傷。

平庸是與生俱來的素質決定的，也是個人的修養造就的，個人政治權力越大，平庸的傷害越深。時至今日，中共已人才凋零，找不到更好的人來頂替習近平，體制中毒已深，無藥可治。不論國內外，不論黨內外，所有人都在看著中共爛下去。

對西方國家來說，對中國人來說，沒有比習近平更有效傷害和摧殘中共的了，所以中共碰上習近平，是中共之不幸，中國人碰上習近平，或是中國人不幸中之幸。

擅權術而乏謀略，緩爭位而急立名——沒有習近平就沒有新中國（之二）

習近平的從政之路是中共黨文化的成功典型。從一九七四年入黨擔任陝西梁家河村黨支部書記起，至二〇〇七年入京擔任政治局常委，其間經過二十多年的耐心蟄伏。他從基層做起，不求聞達，默默耕耘，不論在北方，或南下福建，他都沒有甚麼大動靜，實際上也沒有甚麼政績。他就是埋頭做事，不求有功但求無過，行事為人盡量低調，這樣隱忍的性格，恰恰最符合中共的用人標準。

相反的，與他年齡相仿的薄熙來，卻性格乖張，能言善辯，風采過人，處事強悍。薄熙來在大連和重慶，都喜歡搞大動作，樂於與新聞界互動。在大連搞城市建設，在重慶搞唱紅打黑，風頭一時無兩。

但薄熙來的性格卻不是中共傳統黨文化所推崇，中共喜歡沒有政治野心，吃苦耐勞的幹部，這方面習近平恰恰是投其所好。習近平在福建廈門、寧德及至福建省任職時，都沒有甚麼政績，後來在浙江和上海，也都一味守成，維持現狀，但他在政壇上的隱忍聽話，讓黨內老人滿意，長期觀察，慢慢培養，終於他在龜兔賽跑中贏了薄熙來。

薄一波在黨內地位本比習仲勳高，習近平的低調避過了「槍打出頭鳥」的規律，扮豬食老虎，穩步上升，終於抵達最高位。從這方面看來，習如果不是有高人指點，便是他的政治鑽營更有技巧，他的權術比薄熙來高明。

除了鄧小平改革開放初期急需人才之外，中共黨文化推崇的人才，都是立場第一，政績第二。趙紫陽有治國真本事，萬里也能解決實際問題，當時百廢待興，能者上位，但到江澤民、胡錦濤，也都不看政績而看政治立場了。薄熙來耍小聰明，搞大場面，中途落馬，習近平埋頭做事，不犯錯誤，終於安全抵達。

未上位前隱忍，但習近平上位後卻躁進，一則他在高層並無基礎，需要弄權打擊對手，保住權位，二則急於在有限時間內爭得最大歷史功名。中共歷代領袖都不像習近平那樣集權，老毛務虛不務實，樂衷搞鬥爭，政務由周恩來包辦；鄧小平垂簾聽政，關鍵時敲打一下胡趙和江澤民；江澤民除了讓資本家入黨，喜歡指揮唱歌，在死海浮泳，坐轎上山，至於國企改革、申請入世貿這些難事，都是朱鎔基操勞。胡錦濤實行無為而治，高高在上，政務都交給溫家寶，溫家寶四處奔波，排難解憂，偶爾還要仰望一下星空。

中共最高領袖都掌大方向不管實務，唯獨習近平甚麼都要管。他掌權後成立十幾個委員會，奪了國務院的權，幾乎把李克強當作跟班。問題是甚麼都管，結果甚麼都管不好，有權任性，驕橫魯莽，把好好的事都管砸了，連足球和廁所都要管，結果足球又輸得脫褲子。

韜光養晦是中共黨內共識，胡錦濤手上已開始國進民退，但胡謹小慎微，規行矩步，到習近平手上，因急於建功立業，期望與老毛分享大名，在內政外交上空前冒進，不斷提出新理念，不斷推出大動作，可惜擅權術而乏謀略，緩爭位而急立名，急進的後果是處處碰壁，處處紕漏，最終落得四面楚歌。

東升西降、中國解決方案、人類命運共同體，諸如此類的世紀大話，都不是建基於現實條件，只是建基於妄想。共產主義實質是權貴獨裁，共同富裕根本是全民供奉，如果這樣的制度也能長治久安，席捲全球，那人類社會還有甚麼指望？

因為政治上躁進，沒有摸清自己的家底，也沒有搞清楚對手的實力，稍一交手即敗下陣來，敗陣後不認輸，只有負隅頑抗，鬥爭成了唯一選擇，過苦日子成了預感，到最後，付出最大代價的是中國人。而面臨如此凶險的時勢，最終能不能保住中共的一統江山，今日習近平自己也沒有把握了。

時勢造英雄，或英雄造時勢，這是千古爭議，實際上時勢與英雄是互為表裡，互相造就的。時勢可以萬變，真英雄卻難得，更多的是躬逢其盛胡亂作為的庸才，他們呼風喚雨於一時，卻無法在歷史上留下足跡。習近平今日權勢熏天，但他身上並沒有正面改變中國命運的基本素質，如果有，那只是從反面來的客觀結果，他如果親手葬送了中共的鐵桶江山，客觀上就改變了中國命運。今日看來，這種可能性越來越高，而他究竟流芳百世，還是遺臭萬年，都將由歷史蓋棺論定。

與美交惡禍起蕭墻，定於一尊無階可下——沒有習近平就沒有新中國（之三）

中共的內外困局來得很快，雖然經濟早已捉襟見肘，但如維持良好的外部環境，小心調整，未必不能越過這個「坎」，可惜在危機深種之下，習近平仍對國內外局勢作出致命的誤判。

中共國借改革之東風，積下一點家底，以舉國體制之利，對付在經濟突變之下處於窘境的美歐，有應付裕如之錯覺。雖然在奧巴馬時代，美國已有「重回亞太」之安排，但實際行動不多，美中關係基本仍在良性互動的狀態中。

基於結束「韜光養晦」的共識，中共開始改變守勢，轉為攻勢，借「一帶一路」對外擴張，借孔子學院作文化侵略，在美歐各國收買政客與傳媒，企圖影響民主國家的國策，派大量留學生與學者，盜竊別國科技成就而作彎道超車。更有甚者，在特朗普訪華時，借李克強之口，向美國表露出一付鄙夷不屑的姿態，這一來卻惹怒了同樣不可一世的特朗普。

美中關係之交惡，即從特朗普訪華埋下前因，此後之貿易談判、香港反送中事件、新疆人權議題、台灣問題等等，都是餘波。直至今日，諸事發酵，國際反華勢力大集結，中共突然成了眾矢之的，舉國體制也無力應付了。

習近平根本的錯誤在於，他相信他領導的中共，正處於共產主義向全世界擴張的最有利時機，他躬逢其盛，有機會創造一生最光輝的事業高峰，這個千載難逢的機會對他有致命的誘惑，做得好，他有機會繼馬克思、列寧、毛澤東之後，成為世界共產主義運動的第四個豐碑。但原則上他只有兩個任期，時間緊迫，如步調太慢，根本等不到創造歷史的結局，最終締造豐功偉績的，可能已是他的接班人。習近平急於求成，加快擴張，花大錢買通第三世界，改變聯合國政治生態，趁美歐各國不備，突然站到世界的中心位置，準備左右國際大局。

這種揮斥方遒的自豪感，又麻醉習近平自己，他在黨內與國內，遂生起「定於一尊」的念頭，由手下人起哄，塑造空前的領袖崇拜。本來是坐享前人的功德，變成是他的偉業，本來沒有文治武功，卻變成開天闢地的英主。「定於一尊」呢支歌仔沒有唱很久，中美已開戰，中方處處受壓迫，步步後退，左支右絀，難以挽回。

分明不是對手，又要出言挑釁，分明底氣不足，又要充闊逞強。及至拜登上台，聯盟歐日諸國，在亞太佈局，經濟科技上制裁，中共國面臨史所罕見的困局，此時又礙於「定於一尊」之地位，不可輕易認輸服軟，只有硬啃下苦果，準備作困獸鬥。

中美之變來得太快，快得習近平反應不過來。香港反送中運動之初，中共為解決亂局，多次向美求助，而特朗普都給冷面孔，到最後迫於無奈，硬推國安法，至此成為世界民主國家公敵，已經沒有回頭路。美國既已對中共絕望，便不再視台灣問題為美中關係要害，特朗普開始，拜登接手，都將台灣問題視為對付中共最有效的手段。加強台灣防衛，扶助台灣走向國際，刀刀見血，而習近平對此一籌莫展，時至今日，和統無望，武統無膽，一尊之地位，至此已體無完膚。鄧小平的韜光養晦是長遠國策，老鄧期以一百年，埋頭經營自己，羽翼豐滿後才作道理。習近平操之過急，發現勢頭不對又無下台階，沒有轉身餘地，唯有硬撐危局。

未來不可知，要準備過苦日子，為應付來日之大難，又必須鞏固後方，消滅不安定因素，清除市場隱患，因此這一年多來不惜大殺四方，製造更多難題。為維護一尊地位，堅持病毒清零，為唱好自己，把冬奧辦成外交災難，為收買普京，付出巨大代價，為國內維穩，造成民怨沸騰。用盡全力為害自己，替自己製造更多難題，替美國拉攏歐亞小兄弟，把小毛病辦成大災禍，越下手越興奮，越以為無所不能。這種把中共往深淵處拖拽的功力，中共歷屆領袖無人可及。

錯就錯在，個人野心太大，能力卻有限，時勢分明不利，又誤以為天助我也，吃了虧應該省悟，卻找不到下台階，分明內外不得人心，卻還拚命打強心針。

中共政權集古今中外之惡於一身，在大趨勢上走向覆滅是不可避免，只是在習近平手上，這個趨勢會來得更快。西方民主國家採取陰乾的戰略，期以最低成本來達到目的，今後一兩年內，還會有更精采的戲碼上演，我們不妨拭目以待。

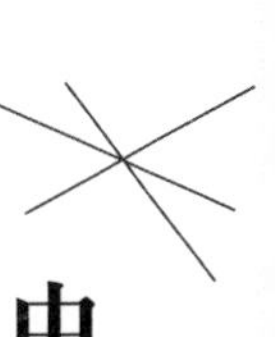

中華民族到了最危險的時候

戰狼外交部發言人趙立堅大言不慚說：「中國共產黨與中國人民魚水情深，血肉相連，中國人民就是中國共產黨的銅墻鐵壁，誰都別想打破。」這都是中共綁架中國人慣用的套話了，不料卻引來眾多中國網民的嘲諷。

「媽的吃香喝辣從來不帶上我們，當炮灰的時候一口一個人民！」「血肉之軀咋又成銅墻鐵壁了？」「你為刀俎我為魚肉，情深意切。」「讓百姓做盾牌？」「黨不應該是人民的銅墻鐵壁嗎？」

不僅如此，近來幾乎所有涉及內政外交的官方說法，網民都冷嘲熱諷話中有骨，指桑罵槐過把癮，蔚為奇觀。

內地網民上網和買手機，一早都要實名登記，任何人在網上說一句話，政府都可以追到你頭上，追到了就要吃苦頭。為甚麼嚴防管控之下，還會有這麼多網民一面倒發洩對政府的不滿情緒？

從前大家顧著賺錢，想發達的一心撲在工作和生意上，只求溫飽的加班加點不問世事，近年來，越來越多大陸民眾，敢於打擦邊球，冷言冷語，拐著彎罵人，不求改變世道，只求一時口快。

如此普遍的網絡反應，在日益加強的社會管控之下，本來是不可能發生的，是政府放寬了網絡控制嗎？政府若開放網絡，就等於自尋死路；是政府內外麻煩纏身，一般屁民發牢騷顧不過來了嗎？公安國安無孔不入，不應如此怠政；是民間怨氣太普遍，掛一漏萬，抓不勝抓嗎？看來也不像，維穩隊伍龐大，遍地五毛，沒有理由放縱民間反抗聲音。

中共以謊言與暴力治國，對付大部分國民，就以謊言洗腦來麻痺思想，對付極少數維權作抗議的人，就以暴力鎮壓。習近平上台後走回頭路，全國上下急速倒向文革的泛政治社會，對外實行戰狼外交，得罪大半個地球，對內嚴管社會生活，政治管控到民間的每個角落。這種與時代精神背道而馳的國策，引起多數中國人的質疑和不滿，即使傳媒百分之百控制在政府手上，但網絡空間無限廣大，民間耳語禁之不絕，中共的政治謊言遂紛紛破產。

中共為鞏固統治地位，無所不用其極，年前就曾發生過復員軍人維權、貨車司機抗議，驅逐低端人口、暴力封城防疫等等社會事件。近期水災肆虐、糧荒在望，外貿死火，金融、醫療、就業等處處爆雷，香港動亂未平，台灣官民拒共，最近更又發生內蒙古禁蒙語的風潮，全中國無一寸平靜土地。

每有社會惡性事件，中共就以收買和暴力兩手平伏，但每一個事件平伏，都不是解決了矛盾，而是把矛盾掩蓋起來，如此所有的矛盾都積壓在民間，人民的憤怒在地底運行，一有風吹草動，所有深埋的地雷就一起引爆。網上種種「負能量」，正預示社會底層趨於瓦解——個別的社會動亂容易彈壓，遍地烽煙起，如何安天下？

中共執政以來，曾經歷三次政權危機，第一次是三年大饑荒，餓死四千萬，中共將人禍歸咎於天災；第二次是文革，政治動亂經濟瀕於崩潰，最終老毛去世四人幫倒台，鄧小平撥亂反正；第三次是物價改革加上胡耀邦去世，導致天安門事件，終以武力鎮壓避過一劫。

第一次危機，中共執政初期的勢頭還在，第二次危機，靠的是老毛的個人威望，第三次危機，以軍隊暴力鎮壓排險重生。中共三落三起，幸免崩盤。

這一次危機更為深重，經濟發展一籌莫展，社會問題多如牛毛，習近平定於一尊，政治走回頭路，中國人政治改革期望落空，正面臨饑荒前景，再加上外交荊棘滿途，西方國家群起而攻，這次危機是全方位、深層次的，看不到解套的前景。

中共想走回頭已經來不及了，國際國內矛盾互相激化，衝突此起彼伏，底層群情洶湧，高層惴惴不安，中國正在醞釀一次百年未有之巨變。蔡霞預言五年之內有大亂世，這是知情人說的大實話。

「中華民族到了最危險的時候」，國歌每日唱，終於要兌現了。

共產黨的國家恐怖主義

北京清華大學教授許章潤，近日被中共當局以嫖娼罪名拘捕，據說出動一二十個警察，好幾部警車，如臨大敵，將許先生帶走。

本來這也不奇怪，許章潤寫了數篇討伐文章，直接針對習近平，這種捋龍鬚的膽識，一定令當局深惡痛絕。要辦許章潤用心久矣，之所以遲遲未下手，只是仍在拿捏抓捕許章潤後的正反效應而已。

畢竟許先生有眾多學生，都是知識精英，他身邊的朋友又都是有頭有臉的文化教育界代表人物，許先生因為敢言，在國際上已有相當大的影響力，抓捕許章潤，又要樹一大批敵人，象徵中共的虛弱與暴虐。但中共面臨如此的內外困境，已經失去正常理智，反正最後一塊遮羞布也扯下了，抓與不抓，都要面對惡果，那就先抓了再說。

許章潤先生是當今中國最勇敢的士人，他代表民間正氣，代表未曾埋沒的民族精神，中共拘捕了許章潤，不但不會令他的聲音消失，還使他個人的影響更深遠，他的歷史地位更崇高。

中共為保一線江山，從來無所不用其極，加一條嫖娼的罪名在許章潤身上，就是要對他實施污名化，貶損他的正直形象。但很簡單的情理是，若許章潤在四川嫖娼，你為甚麼不在四川抓他？你為甚麼不在他嫖娼的現場捉拿歸案，拍了現場照片，有妓女在現場作證，當場上手銬眾目睽睽下帶走？你為甚麼要等到他回到北京（消息說許章潤根本沒有離開北京）才辦他？

古語說捉奸在床，以中共維穩之無孔不入，酒店房間都有錄像，至少把錄像調出來，公諸於眾，那還有點說服力。如今空口說白話，只不過是欲加之罪何患無詞罷了。

一個號稱偉大光榮正確的黨，用如此卑劣的手段對付手無寸鐵的書生，只因為他敢於稟筆直書，為歷史證言，你就不顧國家政權起碼的體面，強行插贓栽誣，這種近乎流氓的行徑，真是吾不欲觀之。

古往今來，政權能長治久安，從來不能靠謊言和暴力，不能無恥和強橫，靠的只有收服天下人心的德性。以德性贏得人心，以人心輔佐政權，政權才有穩定可言，反之，你以謊言欺騙百姓，百姓則以異心對你，你以暴力殘害民眾，民眾則以仇恨反抗。君視民如草芥，民視君如寇仇，你如何對待我，我也如何對待你，上下交惡，江山能穩固嗎？

中共憑手上掌握的政權暴力，當然可以無休止抓捕民間正義之士，但人間正氣是撲滅不盡的。許章潤不是吃太飽惹事上身，不是無中生有強加於人，他代表了眾多對現實不滿的中國人，他只是說出事實，說出內心話而已。很多中國人仍受中共蒙騙，很多人雖覺悟了卻不敢發聲，許章潤只不過是眾多中國人的代言人，他失去代言機會，自然會有人頂替他。只要中國一日有不平事，有混帳政權，就會有人發聲。

中共早已不能以德性來管治國家了，幹部貪腐，維穩無所不用其極，中共靠的是一種國家級別的恐怖主義，把全國人民都置於血腥恐怖氛圍之下。對於不服管治的國人，以威脅、構陷、迫害、株連、拘捕、殘殺等等暴力手段肆意鎮壓，這是他們賴以生存的唯一途徑。

自有國安法起，香港人與大陸人一樣，都處於國家恐佈主義陰影下，許章潤們遭遇的厄運，很快會落到我們頭上，到那時，「被嫖娼」也就會發生在我們身邊。我們除了反抗，實在沒有其他出路了。

愛一個黨，或愛一種理念？

早兩天，有人在我文章後留言，說：「不愛共產黨，難道愛國民黨嗎？」，這當然是藍絲的心裡話。我向來不理會藍絲，但到底這也是一個話題，所以借來一用。

人一定要愛一個黨才可以嗎？沒有一個黨給你愛，你的日子就過不下去了？你可不可以不愛共產黨，也不愛國民黨？你可不可以只愛中國人，甚至只愛香港人，而不愛這個那個黨？你可不可以愛一種理念，愛一種價值觀，而不愛一個理念可疑、價值觀顛倒的黨？

去問一下普通香港人，他們愛哪一個黨？百年以來，香港人從來不愛這個那個黨，雖然有各種各樣的黨存在，雖然也會有人認同這個黨那個黨，但是香港人與政黨的關係，從來談不上愛與不愛。

今日認同你，就和你走在一起，明天不認同你了，就分道揚鑣，互不相干——如此而已。

一個有獨立人格的人，不必借助愛上一個甚麼黨，才有生存的價值。人只要有獨立的精神，自由的思想，就能在社會上立足。

好吧，就算一定要在共產黨和國民黨之間找一個來愛，那值得付出你的愛的，絕對不是共產黨，一定是國民黨。

共產黨執政幾十年，殺了多少中國人？歷次政治運動，殺人都以百分之五的比例，毛澤東多次指責地方幹部，說你們殺得不夠，還要再殺一批。國民黨在大陸執政，從來不搞政治運動，從來不整人，到台灣後二二八搞過一次鎮壓，多年後也已平反，公開道歉，賠償損失，國民黨早就放棄威權統治，不敢殘民以逞。

共產黨執政，大躍進胡搞，餓死了四千萬人。國民黨在大陸時，並沒有因為施政失誤而導致大規模的饑荒，甚至導致人吃人的悲劇，在台灣更因土改的贖買政策，經濟的平穩發展，而保持社會生活的穩定。

共產黨直至今日，還死抱獨裁統治的殭屍，用盡殘暴手段壓迫百姓。而國民黨呢，早在蔣經國手上，已經開放黨禁報禁，到李登輝手上，逐步完善向民主制度的轉型。台灣的中華民國，從專制制度和平過渡到民主制度，其間幾乎沒有甚麼大的政治風波，沒有大動亂大暴力。至少在這一點上，國民黨就比共產黨更像一個現代政黨。

中共統治下，社會不公，一小撮權貴家族侵吞民脂民膏，廣大百姓分享不到改革開放的成果，至今仍有六億底層民眾月收入一千元，在貧困線上掙扎。反觀台灣，社會和諧，分配合理，人民生活安定，社會保障充分，官民關係基本融洽。

因為中共的對外擴張政策，導致世界各國的反制，當下中共面臨世界性的制裁，經濟形勢惡劣，社會矛盾激化。而台灣已經過數次政黨和平輪替，近年更因政治穩定、經濟發展、民生富足、文化發達而受到世界各文明國家的認同，外交空間不斷拓展。

國民黨近年在島內不得人心，根本原因是厚顏投靠中共，指望中共打救。可惜台灣年輕人早就看穿中共的真面目，中共越想向台灣伸手，台灣人越是抗拒，以至國民黨因為涉嫌賣台而更形孤立。國民黨近年不濟，恰恰因為他們與中共走得太近，中共惡名昭著，連累國民黨也口碑蒙污。去年蔡英文總統大選大勝，近日國民黨韓國瑜更被高雄人以高票罷免，共產黨成了國民黨的政治毒藥，共產黨可不可愛，不是勿庸贅言了嗎？

如果國共兩黨一定要愛一個，那還是愛國民黨好一點，國民黨只要遠離中共，就還有得救，而中共已經沒得救了。

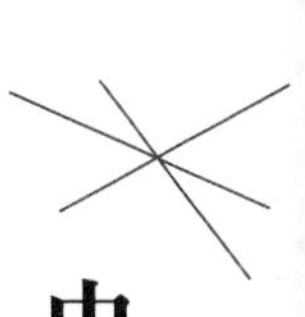

中國人民族性的三大迷思

美國一個黑人被警察跪頸氣絕，全美國炸了鍋，至今未平息，風波席捲全球多個國家，唯獨中國一片死寂，除了興災樂禍者之外。中國人是一個異類的民族，號稱五千年歷史，但至今還是世界上價值觀最落後的國家，原因就是我們這個民族，實在有太沉重的歷史包袱，太迂腐的意識形態，太平庸的民族性。

中國人有三大迷思，一是愛國迷思，二是自卑迷思，三是命運迷思。

中國人判斷是非，很少從人性的角度去思考，永遠都以愛國為前提。凡事先問愛不愛國，愛國則為是，不愛國則為非。因為愛國，國家的弊端都可以忽略不計，因為愛國，外國的優越都可以無視。因為愛國，就將批評國家者視為異類，因為愛國，就把讚揚外國者視為漢奸。

愛國迷思，使中國人不能撥開成見去接納世界，不能融入世界潮流，看不到自己的弊病，長年自我陶醉。一個民族永遠沉醉於愛國的高亢情緒，就不可能冷靜地、客觀地剖析自己，認識自己的錯誤和局限。愛國愛到使自己對國家麻木，這是我們不能融入世界的根本原因。

中國人因為國力積弱，近代以來，總覺得自己受外國人欺負，自己無力反抗，只能委屈求全，簽下不平等條約，永遠被一種失敗者的情緒綁架。因此中國人普遍有自卑感，動輒就認為外國人在欺負我們，而一旦自己力量強大起來，又一味自嗨，麻醉自己。中國最希望別人頌揚我們，討好我們，有求於我們，這種過度的自我麻醉，其實是自卑感的另一面，都是因為長期的集體心理殘缺未得到根治。

中國人因為缺乏科學精神，缺乏理性素養，往往把一切不平等不公義，都歸之於命運。社會財富被極少數人霸佔，底層百姓通常會認命，人家命好，生在有權有勢的家庭，他們合該有好日子過；人家命好，朝中有人好辦事，佔了便宜也是應該的；人家命好，子女受好的教育，佔據好的職位，吃香喝辣，那也沒甚麼話好說。

中國人有這三大迷思，都以為是千古不易的至理，升斗小民屈服於命運之下，不思改變，不敢改變，甚至不願意改變。既然愛國，國家積弱受人欺負當然會生氣，既然人生際遇不好，都是命中注定，那也沒甚麼好抱怨的。我一心要為國家好，國家對我不好，我也只好忍了；國家受人欺負，我要為國家分憂，為國家出一口氣，個人的得失只好放到一邊；既然命中注定要吃苦，那就逆來順受，反正再怎麼鬧，命運天注定，永遠改變不了。

中國專制獨裁者將百姓玩弄於股掌之上，不是因為獨裁者有甚麼大本事，是因為中國人太乖順了，不單止乖順，還以為自己的乖順是應該的。中國人民族性如此，難怪中國很難進步。中國總是進兩步退三步，五十多年過去，現在又要退到文革，中國人為愛國，為自卑，為信命運，大概還是會忍，一定要忍到沒有活路了，中國人才會想改變。

因此，中國人只有死過才能翻生。

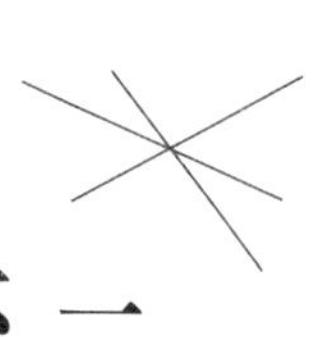

一個謊言帝國，不可能成為現代國家

習近平到安徽視察，照片中抱孩子的女人，是當地治安官員假扮，時至今日，這種新聞造假早已見怪不怪。

早前李克強去貴州視察，一雙鞋滿是泥濘，但站在他身邊的隨行人員，個個皮鞋錚亮，李克強鞋上的泥是怎麼來的？

文革中江青到大寨參加勞動，文革後江青被捕，才證實她只是拿著鋤頭在田間拍了一張照片而已。

毛澤東文革中橫渡長江，豪言壯語「萬里長江橫渡，極目楚天舒」，文革後有回憶文章說，他只是在江邊浸了一下水。

中共慣於撒謊，已成習慣動作，上騙下，下騙上，整個帝國盛產謊言。中共欺騙百姓，百姓也知道中共欺騙他們，中共也知道百姓知道他們欺騙百姓，明知互相騙，大家都習慣了，習慣成自然。

人間萬物，以真為最基本層次，有了真才有善，有了善才有美。我們認識世界，不怕缺乏認知能力，人的認知能力可以隨學習和歷練而不斷提高。你有足夠的能力去分辨是非時，最要緊是你能掌握真相，以真相為基礎，才會有正確的判斷。你碰到的盡是假相，你的認識能力再高也沒有用。

一個社會要正常運轉，最基本的條件一定要尊重事實，追求真相，在事實真相的基礎上，大家才能憑思辨能力來討論和決定事情，否則只是和自己過不去。

描述真相本是最容易的事，有一說一有二說二，不須拐彎抹腳，無中生有，不必顧及是否符合常理常情，因為真實的存在就是合理的，就有它本身的邏輯性，不容置疑。

但撒謊就不同了，撒謊要令人相信，就要把謊言裝飾得像真的一樣，要裝飾就要有技巧，要顧及主客觀環境因素，要堵塞漏洞，避免穿崩，要能自洽自足，這些都不容易做到。說一個謊言，要用無數謊言來掩蓋，一旦穿崩，不但暴露說謊的人笨拙，而且讓人懷疑他居心不良，說謊的結果通常是很不妙的。

中共為甚麼習慣說謊，樂於說謊？因為他們是說謊得天下的。說是解放窮苦人，結果解放的只是他們自己；說是工人階級貧下中農是依靠對象，其實他們依靠的也只是自己；文革初毛澤東說學生是革命先鋒，文革後紅衛兵的價值用完了，毛澤東又斥學生是「臭老九」，用謊言利用學生，用完即棄。

中共是農民黨，主要骨幹是農村知識分子和流氓無產者，中國農民幾千年信天信地信自己，就是不信知識，所以毛澤東老是說知識分子沒用。毛澤東不信知識，不尊重真相，信奉唯意志論，所以他搞大躍進、畝產萬斤，人有多大膽地有多大產，只要自己相信，也強迫別人相信，甚麼謊言都會成真。

二十一世紀的今日，高科技就是生產力，高科技不可能建立在虛假和謊言的基礎上。你既要用電子晶片，去到三奈米分毫都不能含糊，你又要編造謊言，欺騙全國十四億人，這根本是兩種水火不相容的價值觀。你熱衷於撒謊，就不可能尊重事實，就沒有求真的慾望和衝動，大小事信口開河不紅臉，違背基本的生活邏輯和思維邏輯，全國上下蔚然成風，國家以謊言假象來運轉，永遠在不知真相的狀態。

以謊言立國，就沒有潛心探索客觀世界的雄心和耐心，走捷徑彎道超車，就要去偷別人的研究成果。說謊和盜竊都是見不得人的卑劣本性，你習慣了說謊，去偷雞摸狗就心安理得，但建立在謊言基礎上的國家能長久嗎？

習近平去視察找個幹部扮村婦，表面看起來是小事，可是它揭示了中共的本質，這個黨便是靠謊言吃飯的。早前孫春蘭去武漢視察，樓上的居民大喊：「假的！都是假的！」中國人並沒有那麼傻，真假、善惡、美醜還能分得清楚。時至二十一世紀，文明世界不是這樣運作的，靠謊言惑世，最終是被世界拋棄。

人妖顛倒的世道，才是人類根本的問題——刀郎文化現象之我見

最近刀郎一張新唱片火遍大陸，在經濟急速下行、民間怨聲載道的當下，刀郎成為熱門文化現象。我對大陸流行音樂很外行，不過出於好奇，也聽了《羅剎海市》和《顛倒歌》。

《羅剎海市》脫胎自蒲松齡的故事，一中土男人出海遇風暴，落難於不知名小國，人奇醜以為美，異行以為常，顛倒世道人倫。刀郎借用蒲松齡的故事，鋪排出一首譏諷世道的歌。

《羅剎海市》的旋律有一種「魔性」，越聽越被「魔住」。這旋律雜拌民間歌謠、北方曲藝的調性，幾乎平滑得像順口溜，容易「上頭」，讓人有種微醺被催眠的感覺。

至於歌詞，也是一種混搭的風格，有蒲松齡《聊齋誌異》的意象，有社會流行詞語，也有俗到出汁的俗話，甚至連西方哲學家維根斯坦也拉進來湊熱鬧。歌詞很通俗，有的地方「土得掉渣」，但因為多重混搭，一路充滿簡單變幻的趣味，撩撥歌者的神經。

旋律與歌詞容易領會與感悟，歌者很容易投入，覺得擊中他們內心一些本來就難以消解的積鬱，甚至唱多幾遍，歌詞內容是甚麼已經不重要，純粹變成對刀郎的認同感，變成一種本能的過癮、自在的宣洩——借刀郎之杯酒，澆眾生之塊壘。

網上有各種翻唱版本，各種對歌詞稀奇古怪的詮釋，數以億計的人短短幾天內參與了這場狂歡，蔚為奇特的文化現象。有人將刀郎的新歌引向他與幾個主流歌星的恩怨，刀郎是否因此起意，外人不知道，但廣大樂迷與主流歌星並無瓜葛，他們怎麼會那麼瘋狂投入？

我相信多數人迷上這首歌，是它說出當今世道人妖顛倒、價值傾覆、人倫泯滅的惡質化現象，它與中國人當下的心態有關，與社會整體的詭異氣氛有關，與對世道的質疑與批判有關。

每個人都在現實生活中打滾，被生活壓榨，數十年目睹社會之怪現狀，看不慣社會的不公，竊鈎者賊，竊國者侯；看不慣吹牛拍馬者上位，忠厚老實者蒙冤；看不慣以假為真、以惡為善、以醜為美的當道價值觀。本來一肚子「不合時宜」，被刀郎的歌一挑逗，「成個人醒晒」，覺得從來未有之痛快淋漓，於是一拍即合，把《羅剎海市》唱作天籟綸音。

《羅剎海市》的要害，就是一個人妖顛倒的國度，偏安於正常人世之外，有自己一套美醜觀、價值觀，一套遠離正常人世的孤僻生活，因為缺乏見識，觀念固化，要改變更難。中共國便是今日的「羅剎海市」，遠離普世價值，遠離符合人性與時代潮流的世界，以人民的名義壓迫與剝削人民，以謊言與暴力維持一黨之私。

中共統治中國七十多年，前期以革命化的灌輸剝奪國人的自由意志，後期借改革開放，引入資本主義市場經濟，更引入物慾至上野蠻掠奪的資本本性。在中國土地上，封建主義的落後與封閉遠未根除，社會主義的殘暴無人性大行其道，再加上資本主義物慾膨脹與瘋狂掠奪，大陸遂成為古往今來一切惡質文化的集中地，中共遂成為當今世界惡之集大成者。

《羅剎海市》整首歌戲謔不堪，俗得流油，到最後突然冒出一句「那馬戶又鳥，是我們人類根本的問題」。這句歌詞彷彿從天而降，與整首歌毫不搭調，但想深一層，沒有這句話，整首歌就落不到實處。前面都是嘻皮笑臉，最後突然板起面孔，前面都是無中生有，最後突然講大道理，前面都是表述現象，後面突然挖到本質。

甚麼是「人類的根本問題」？唱歌的人唱到最後，都不免有此一問，然後回頭咀嚼歌詞，你就會發現，這個人妖顛倒的世道，就是人類面臨的根本問題，一切痛苦和憤懣，都源自一個價值觀被重塑的體制。「馬戶又鳥」是誰，馬戶是妓院老鴇，又鳥是雞（妓），污泥濁水霸佔主流當道，正直百姓失去安身立命之地，說到底，中國人的生路何在，不問可知。

《羅剎海市》不過是一首歌，但流行文化的殺傷力，有時足以摧枯拉朽。問題不僅是這首歌本身，是這首歌掀起民間熱潮的巨大規模，這才是會令中共寒心的社會文化現象。習近平周身唔聚財，若有閒情去品味一下這首歌，大概也會出一身冷汗。

大市場、供應鏈天下無敵嗎？——中共致命的戰略誤判

中共的戰略擴張必遭美國反彈，一早以修斯底昔陷阱自我安慰。如果中共不那麼浮躁，不具全球野心，奉行鄧小平的韜光養晦國策，美國人會「咁得閒」來打壓你嗎？打壓別人是要花力氣的，也是有風險的。如果中共安份守己，做好自己的事，不動別人的奶酪，美國人又有甚麼理由來打壓你？

中共稱霸世界的野心，基於對社會主義「優越性」的誤判，基於對管控中國人能力的誤判，基於對中美國力對比的誤判，基於外交上擴張得勢的誤判，此外，也基於對中國大市場和供應鏈的誤判。

中國有十四億人口，是世界上最大的單一市場，隨著中國人生活水平的提高，對物質享受的要求日益膨脹。從最初的麥當勞肯德基，到各種普及的家電、運動服裝，再到高級時裝、汽車、旅遊等文化消費，高消費人口不斷擴大，範圍不斷延伸，以致西方各國視中國為最大的新興市場，人人趨之若鶩。

基於資本逐利的本性，西方各工業國包括美國在內，都見中國而「色心大起」，溫言款語討好之，容忍中國恃寵生嬌，甚至撕扇子作千金一笑。中國因此以為，有全球最大市場這一倚恃，已是向全世界伸手腳的時候了。

但專制體制的蠻橫，在世界範圍內引起普遍的反感，等到中共「侵門踏戶」，挑戰普世價值，妄圖改變歐美各國政治生態時，美國先坐不住了。國家安全受威脅，市場就不算甚麼了，錢賺多賺少無所謂，家宅平安才是根本。從前沒有中國市場，各國各有自己的市場份額，相安無事，現在放棄中國市場，只是回到從前的日子而已，痛是有點痛，沒有痛到活不下去那麼嚴重。

再說，隨著其他中小國家經濟起飛，世界上還有大量市場等待開發，東方不亮西方亮，西方先進工業國國致力開發印度、東南亞、南北美洲市場，也有不可估量的利益，何必為遷就中國的蠻橫，而冒自己國家體制被侵蝕的風險。

西方國家開始講對等，講合規，開始不那麼在乎中國的市場，在世界範圍內實行不合作態度，如此一來，中共才知道大事不好。

中共另一倚恃的優勢，是他的供應鏈。改革開放四十年，中國憑著引進外資，吸引大量西方廠商，各國固然因中國的低成本而獲利，但也付出科技成果被盜用、市場准入不公平等等代價。

供應鏈並非一朝一夕可形成，數十年積累的結果，西方各行各業的原材料、半成品以至關鍵性的必需品，為數不少都控制在中國手上，形成各大工業國對中國供應鏈的依賴，中共憑此優勢，對各國分化瓦解，從中取利。

中共將各國玩弄於股掌之上，越發意氣風發，認為自己掌握了開啟世界新格局的鑰匙，加上武漢疫癥一來，各國的防疫用品都被卡在中共手上，中共非但為此獲取巨額利潤，更聲大夾惡，要挾脅制，令各國無法忍受。

所謂物極必反，中共在全世界劣行昭著，引起各國群起反彈，美國日本帶頭，鼓勵本國廠商撤離，拉攏台積電到美國設廠，保證半導體行業的關鍵性供應，又鼓勵各國廠商將供應鏈轉移到印度和越南等東南亞各國。

數十年開發，大陸的低成本效益已一去不返，再加上國內經濟下行，國際壓力山大，隱伏社會動亂的危機，各國廠商春江水暖鴨先知，早已心有別屬。就在這樣的背景下，中美交惡，美國對中共產品的高稅收更影響中國廠商利益，於是產業鏈外移便蔚為風氣。

西方各大工業國，能把供應鏈建在中國，也能把供應鏈建在任何一個國家，只是搬遷而已，何難之有？中共以為自家的供應鏈不可取代，只是一廂情願，等到事情發生了，只有乾瞪眼。

大市場和供應鏈都不是永久性的，世界那麼大，何處無青山？你與世界合作，世界就遷就你，你要恃寵行凶，人家就與你拜拜，此理甚淺，唯中共執意誤導自己。今日孤家寡人舉目無親，悔之莫及矣。

大外宣、大撒幣自討沒趣

近年中共對外關係，做兩件大事，一曰大外宣，一曰大撒幣，兩件「大事」，盡顯「大國」的大氣魄。

可惜大外宣四處碰釘子，大撒幣變成大傻蛋，眼看都無以為繼。

中國大外宣，不是以自己的軟實力去贏取外國人的好感，而是用一種有預謀的洗腦、傳播假信息、打嘴炮的方式，將中共的意識形態話語，強加給外國人。中共在內地用慣了幾十年的灌輸手法，用到外國人身上，久而久之就露出馬腳來，到最後，只是讓外國人認識那一套拙劣低能的營銷手法。

以武漢疫癥來說，本來世界各國都用同情的態度來看待，雖然也有封關之類的動作，但只是自保的措施，並沒有惡意。但中共在武漢疫癥緩過一口氣來，就迫不及待往外甩鍋，先甩給美國，又甩給意大利。

甩鍋是要講證據的，中共手上又沒有任何證據，你搞得人家雞毛鴨血，你反倒賴人家害了你，不但情理上說不通，更挑起對方的怨憤。搞到現在，美國朝野都對中共橫眉冷對，你這場大外宣，不是「搬起石頭砸自己的腳」？

疫癥剛過，中共即轉身扮演拯救世界的角色，到處提供抗疫經驗，又向外輸出醫療物資。不料那套妄顧人民死活的封城經驗，在尊重人權的國度根本行不通，而向外提供的口罩試劑，又都不合格，害人不淺。

更過份的是，少數廠家心有靈犀，故意生產不合格的醫療用品，以此靠害，最終被各國察覺，更令人齒冷。

一個國家如何建立自己的形象？不是靠講大話，靠賄賂討好，而是靠自己有光明正大的國格，有與人為善的胸襟，是靠在普世價值的照耀下有彼此的共同語言。美國人靠他們的高科技、麥當勞、荷里活電影，他們的文化得以廣被世界；歐洲各國、日本、韓國，也都靠高科技和文化產品令人嚮往；甚至北歐一些小國，在國際上安份守紀，他們以人民的平等富裕，以各自有特色的經濟和文化成就感染外國人。即使是台灣，被中共逼到墻角，幾乎沒有生存空間，但他們以民主自由的制度，以舉國上下同心抗疫的成就讓世界驚艷。

簡單來說，一個國家的軟實力，不是吹出來的，不是騙出來的，也不是硬銷出來的，更不是買回來的。一個國家的經濟成就和文化品味，他對人類文明的貢獻，世界各國都有眼得見，你有多少料，你有多善良正派，你多值得他人尊敬，不是你自己說的，也不是你收買人心得來的。

中共這種大外宣大撒幣的外交政策，恰恰體現了一種中國農民式的狹隘見識，自我吹噓，小恩小惠，有一點家底慌死人唔知，又怕別人看不起，又想別人抬轎子，那都是百年落後種下的自卑感在作怪。那種農民與鄰居拉關係的傳統伎倆，在現代社會，不但行不通，而且惹人恥笑，只讓別人覺得你沒有進化，更看不起你。

大外宣有兩面，一面是收買人心，一面是收買不成後，就惡言相向，這更是令人討厭的惡棍作派。一般人為人處世，都應該維持基本的自尊，收買人心已經得不到他人尊敬了，收買不成翻臉不認人，打橫來，惡言挑釁，簡直不知廉恥。

中共在大外宣、大撒幣上前後總共花了多少錢，不知有沒有一個統計數字。這筆天文數字，若用來解決農民工的醫療、教育等方面的開銷，一定綽綽有餘。花大錢辦蠢事，這樣的大國策只是自暴其短。

大外宣和大撒幣要有雄厚實力，財大氣粗時固然不肉痛，一旦日子窘迫起來，養活十三億人已經捉襟見肘，那時去哪裡找錢來開銷？照目前的情況看起來，兩者都將無以為繼，難怪中共準備全面縮回去，再次閉關鎖國了。

歐美對中共大外宣已經深切警惕，第三世界窮國有奶便是娘，一旦拿不到白花花的銀子，又如何對中共感恩？如此看來，兩件大事都得個橘，而之前砸下天文數字的錢財，到最後都落得「泥牛入海無消息」。

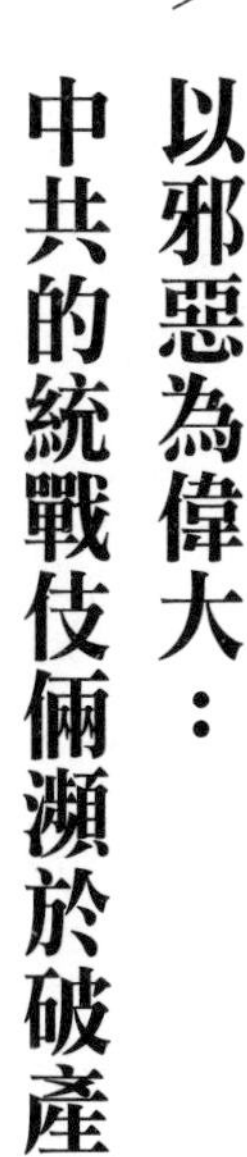

以邪惡為偉大：中共的統戰伎倆瀕於破產

近日中共陣營最精采的表演，就是那個人民大學教授瞿東升了。此人自稱是習近平的智囊，其實只是在習近平訪美前，在美國發行一本名為《習近平論治國理政》英文書時，他作為一個發佈會現場的推薦者而已。看視頻，此人思想淺薄，態度輕佻，根本不像一個教授學者，倒像一個街頭小混混。習近平應該不至於把這種人聘為智囊，否則，習身邊盡是這類廢物，他的日子就更不好過了。

瞿東升不但把拜登和華爾街富豪們與中共勾兌的秘密公諸於天下，還將中共海內外統戰的基本伎倆也毫無保留地自我暴露。此人在政府和學院系統內位階並不高，但口氣很大，這是在大陸行走利益江湖時必備的一種個人發達捷徑。就是你一定要充大頭，一定要把自己打扮成朝內人，一定要讓別人誤以為你真的很有來頭。

瞿東升說中共給了拜登家族和華爾街很多利益，所以中美之間有甚麼麻煩，只要通過拜登家族和華爾街跨國集團高層去遊說通融一下，通常都能逢山開路遇水搭橋。這樣一說，倒好像美國政要們都是中共的走狗了，拿了一點好處，就要效犬馬之勞，為中共排難解紛，投桃報李。

事實是不是如此，當然只有拜登家族和華爾街才知道，不過姓瞿的這樣一說，拜登真是跳進黃河也洗不清了。如果他真的當上總統，如果他本來是準備與中共修好的，給姓瞿的如此戳穿，拜登還怎麼敢去緩和中美關係？他與中共稍微眉來眼去，不是恰好證明姓瞿的說法是事實嗎？你拿了中共的好處，你回報給中共，那是無恥出賣美國的國家利益，美國人能饒得了你？美國國會不會和你算帳？

瞿東升這一番話，暴露了中共在海外搞統戰的無恥伎倆，簡單來說，就是收買政商找代理人。不管在美國、歐洲、澳洲、日本、台灣和香港，套路都是一樣的。首先是評估利益關係，誰在中國大陸有生意，最好有大生意，大到不能倒，那就選定他做代理人，許以大陸廣大市場的份額；其後要求他替中共在所在國和地區，找一批同聲氣的商人文化人，許以某種社會地位（人大代表、政協委員、各種商會、同鄉會），給他們實際的好處和未來的承諾，然後指使這些人去影響他們身邊的人，再由更多人去影響所在國和地區的政經命脈，然後控制政府部門、立法會、新聞媒體、研究機構等等，最終鵲巢鳩佔，讓中共長驅直入。

在美國，據說中共收買了拜登家族、華爾街等，將他們視為自己的代理人；在台灣，中共收買了旺旺家族，中天電視和國民黨高層；在香港，中共也用同樣的方式收買了不少大富豪、專業精英和學者，收買多數傳統媒體，再加上眾多同鄉會、商會，甚至開始滲透大學學生會，總之如水銀瀉地無孔不入。中共深知人性弱點，人都有貪婪本性，自私而陰暗者大有人在，這些人表面道貌岸然，背地裡男盜女娼，拿了中共好處內心竊喜，有的暗中幫忙，有的明火執仗，鞍前馬後奔走，做出一點貢獻，中共自然又有打賞，如此雙方合作愉快，心照不宣。

最令人不齒的是，中共視此等骯髒勾當為正當事業，不但不覺羞恥，甚且深以為得計，而跟著中共分享其餘唾的那些代理人，也心安理得予取予攜。這是中共這個獨裁政權，至今仍可維持下去的原因之一。

可惜好日子就將過去了，先是特朗普識穿了中共的滲透，實行全面肅清，然後制定各種排拒中共勢力的法案，斬斷中共的黑手，把中共逼回他的老家。不僅如此，特朗普還在建立國際反共統一陣線，圍堵中共，削弱中共的實力，推動中共內部的巨變。中共的統戰空前受挫，未來一段時間，將面臨難以自拔的困境。台灣也開始警惕紅色勢力的滲透，最近政府褫奪了旺旺集團名下的中天電視牌照，國民黨高層的舔共也令台灣人不齒，中共的「一國兩制」這支歌仔眼看也唱不下去了。

在香港，哪些人是中共代理人，他們與中共之間有甚麼勾兌，他們收取中共甚麼好處，稍有頭腦的人都看得出。這些人拿了中共的好處，不遺餘力出賣香港人的利益，最近有線電視新聞部地震，走的就是這種套路。

美心太子女在大陸做大生意賺大錢，她為中共在香港的紅色恐怖鳴鑼開道，又說要放棄兩代香港年輕人，中共是她的主子，她只不過是中共的奴才而已。如果有人許諾給你不應該得到的好處，你就要小心了，來者不善善者不來，得了便宜，是要賣命的。

中共崩潰成共識，問題只是時間與形式——「也說崩潰」之一

中共面臨崩潰危局，近來竟然成了國際熱門話題，這在去年還是不可想像的事。類似評論越來越多。美國華裔學者許成綱近日接受媒體訪問，提出中共國可能的三種前景，一是宮廷政變習近平下台，二是金融危機導致經濟和政治危機，三是中共靠專制暴力，把社會危機往後拖。

習近平大權在握，中共內部的反對力量已被打散，雖然不怕死的人還會有，但已掀不起大浪，因此我以為，宮廷政變是小概率事件，即使發生了，也不能解決中共的危機，因為換一個人上台，又回頭搞改革開放，根本沒有人相信。中共存在一日，中

共的本性就不會改變，國進民退變成國退民進，再過十年八年，又回到國進民退，中國人永遠都叫不醒？

金融危機引發經濟和政治危機，這是目前正在發生的事，問題是中共有沒有能力控制社會動亂。習近平連年大搞高科技嚴控，又加強專政暴力準備，最近深圳萬名武警演習街頭鎮暴，正準備應對未來的社會動亂。動亂規模小，中共手上的武裝可以應付，一旦規模大起來，十個杯子五個蓋，那時就難以自救了。

至於把社會危機往後拖，這是中共目前在做的事。地產爆雷，中共不准地產商清盤，就是怕牽一髮而動全身，但這麼多地產巨魔，豈是國家資本可以打救的？一味往後拖，地產商如何續命？養著那麼多人，借了那麼多債，要還那麼多利息，前景又那麼悲觀，這都是躲不過去的。可怕的是倒骨牌，更可怕是越往後拖，爆雷的規模越大，越難收拾。

華爾街巨頭一向唱好中共國，最近紛紛改口，外國媒體也越來越把唱衰中國視為時髦，近日連拜登都出聲了，說中共國是一顆「定時炸彈」。定時炸彈的意思是一定會爆，但甚麼時候爆，現在還說不準。

今年以來，經濟數字直線下滑，天災人禍接二連三，中國人一看到天有異相，就聯想到亡國亡天下，即使習近平自己，也一再說喪氣話，「故國不堪回首月明中」就是亡國之音。西方媒體和政客正視中共的崩潰，中國人也眾口一詞說崩潰，連習近平都預感到崩潰，那中共就必然會崩潰了，問題只是崩潰會在甚麼時候發生，會以甚麼形式發生。

中共的家底還能撐幾年，崩潰就會在幾年後發生。今年以來，國企民企裁員減薪的新聞此起彼伏，地方政府財困的消息不絕於耳，前不久，東北沈陽連公安都發不出工資了，公安如此，武警又如何？等到公安武警都沒有錢拿，還有誰會替中共賣命？須知公安武警的家人都是底層百姓，他們每日在街頭打壓市民，他們的家人在另一個城市被公安武警打壓——這些暴力工具都是靠不住的，隨時都會瓦解。

中共最近大力清剿醫療衛生系統，從這個最賺錢的行業，去敲打那些既得利益者，也就是幹革命時代「打土豪分浮財」的套路，沒錢就打家劫舍，搶了錢來再幹革命，但民間的財富有時而盡，竭澤而漁也是自尋死路。

習近平不停地斷自己的財路，又不停將事情做絕，把人得罪光，他每天都在遙望自己的末日，又每天都向末日挺進，天底下怎麼會有如此不濟的一個人？中共又怎麼會選出一個這麼窩囊的接班人？

回答崩潰的時間與形式，我的看法還是，崩潰的時間快則五年，慢則十年，因為中共的家底大概還能維持這麼一點時間。局外人揣測政治都是半推半猜，不過，中共對地方債的態度叫做「誰家的孩子誰抱」，這句話洩露了底細。地方官都是習近平的家奴，地方劣政都體現中央精神，現在地方出事中央甩手，那不是中央不負責任，是中央負不起責任了。

中共中央的家底已經見底，從這一點上便可以看穿，預多一點時間給它，就是五年至十年的範圍之內。

至於崩潰的形式，我以為會從社會底層的鄉鎮那一級開始，山高皇帝遠，村官們會在上級和村民之間做「兩面人」，動嘴不動手，出力不傷身，政令遂不及於底層，而百姓最終會明白只有眾志成城，才能與政府抗爭。政府有錢養得起鷹犬，沒錢就樹倒猢猻散，甚麼時候武警不夠用了，中央也只能望洋興歎。政權的瓦解會先從基層開始，然後一級級蔓延上去，到最後，只剩習近平和七常委在中南海望天打卦。

中國人逃不過這一場災劫，大家都要積穀防饑，做充分的思想準備，這一天不會太遠了。

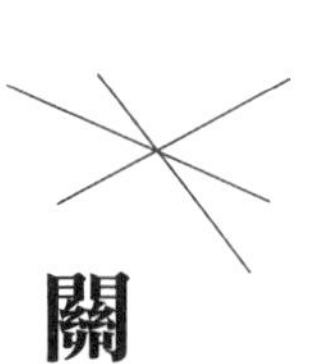

關於崩潰，不是會不會的問題，是要不要的問題——「也說崩潰」之二

有人在我昨天文章後貼文嘲笑我，說我喊崩潰，崩潰了幾年了啊？說到中共崩潰，有人如喪考妣，這可能是五毛，本來不必理睬，不過又給我一個角度，順便拿來談談。

我寫臉書至今三四年，說崩潰只限於泛泛而談，直到今年初，我才提出短則五年長則十年的預測。我不敢打包票自己一定看得準，每個人都可以對時局作預測，信不信由你。

但說到崩潰，最先要討論的，不是會不會的問題，而是該不該的問題。很早以前，在一次中學校友聚會上，有人問我中共會不會垮台，我的回答是：眾人要他垮台，他就會垮台，眾人不要他垮台，他就不會垮台。因此，中共會不會垮台，取決於中國人要不要他垮台。

中國人要不要中共垮台，取決於他們對中共的厭惡程度，取決於他們對世間邪惡的容忍程度，取決於他們同仇敵愾的程度。

中共是否劣政，中共的統治是否符合人性？這是是非問題，是非要先搞清楚。中共是一個邪惡無人性的殘暴政權，這早已被無數事實證明。若中國人容忍它，每日目睹中共踐踏老百姓，只要鐵蹄沒有踏在自己身上，就歲月靜好，那樣中共當然很安全，中共就心安理得踐踏中國人，中國人就心安理得被踐踏。

即使個人遭遇厄運，因為中共太強大，單人匹馬鬥不過數百萬軍隊、公安武警、城管農管網管、九千萬中共黨員。既然鬥不過，只能把一口怨氣吞下去，乖乖做順民。

中國社會矛盾尖銳，民間反抗一波未平一波又起，中共的統治地位並沒有改變，甚至也不受威脅，既然如此，反抗只是自討苦吃，說中共崩潰只是蚍蜉撼樹自討沒趣。

延。

如果十三億人都這樣想，中共怎麼會崩潰？中共會長命百歲、紅色家族會福壽綿延。

相反的，如果有一天大多數中國人醒來，認識到國家不應該如此落後，人民不應該如此軟弱，人人都敢於直面中共的罪惡，聲討它、反抗它，不惜犧牲與它纏鬥，終有一天，正邪交戰，強弱轉化，那時中共的崩潰就有可能。

先問自己，中共該不該崩潰，如果答案是肯定的，那就不要袖手旁觀，能做甚麼就做甚麼，集腋成裘，聚沙成塔，人民的願望就有可能實現。相反的，每天隔岸觀火，嘲笑那些不自量力挺身而出的人，你想改變自己的命運，那真是好難哦！

半年來，中國局勢惡化得這麼快，這麼深，令人瞠目結舌，這是任何人都預料不到的。獨裁政權彷彿一夜之間失去定力，突然眾叛親離，走投無路。其實今天身臨絕境，都是多年作虐的惡果，所有負面的因素一再疊加，互相激化，積重難返。

黨政軍一片亂象，社會醞釀暴力反抗，財政危機引發金融、經濟與政治危機，而外交與內政的失救，已到了「等天收」的地步。更嚴重的是，中共中央在亂局面前一籌莫展，顯示出集體失能的狀態，內外壓力有增無減，地方處處爆雷，黨國上下都在等最後關頭的到來。

連老拜登都說中共是定時炸彈，美國總統對一個國家下如此嚴重的斷言，我記憶中沒有。到這地步，習近平已經顧不上國計民生，他只能專注收拾殘局：一是氣急敗壞搜刮民脂民膏，以應付即將來臨的財政危機；二是大規模清剿黨內反對勢力，以防危機臨頭時內部不穩；三是加緊擴充暴力鎮壓隊伍，以應對未來的社會動亂——想來想去，都只想到最壞的結局。

近日對醫療衛生行業大清剿，便志在搜刮財富。中共豈不知衛生系統的弊端？多年默許官僚專家搜刮民間財富，等這些社會蛀蟲斂財成功，中共一聲令下開刀，財富即時轉手，回到中共口袋裡，省去直接搜刮民間的麻煩。

殺互聯網平台，殺私企外企，殺明星主播，動輒以億計；地方官巧立名目罰款，窮凶極惡到無恥的地步，如此明火執仗，不顧體面，因為等不及了。

最近北京衛健委甚至出台一個政策，宣佈罪犯只要上繳非法所得，便可以既往不咎。按理，貪贓就是枉法，違法就要執法，現在要錢不要人，證明財困已經火燒眉毛。財困如此，中共還能撐多久？

人人說崩潰，墻倒眾人推，中共就會崩潰，人人不敢提崩潰，中共就穩坐釣魚船。中共要不要崩潰？答案是要，因為殘暴無人性；中共會不會崩潰，答案是會，因為惡貫滿盈，天地不容；中共甚麼時候崩潰，答案是短則五年長則十年，信不信由你，反正我信了。

歷史的尖峰時刻：中共崩潰的兩個變量——「也說崩潰」之三

如果說中共崩潰是一個大概率事件，那麼時勢要發展到甚麼地步，才是崩潰發生的契機？

任何歷史事件的發生都有其必然性與偶然性，有其因果關係。中共是一個實行獨裁統治的政黨，維護一小撮權貴家族的利益，中共逆時代潮流而動，違背人民的集體意志，這都是中共與生俱來的反動性，也是它遲早要走向滅亡的必然性。

至於偶然性，當然是多方面的，其中之一便是中共選擇了習近平為這一代的領袖。雖然黨內政治是決定因素，但也有習近平個人際遇的偶然性。習近平無能偏執，內政外交上屢屢誤判與失機，極大損害了中共的根本利益，加速了中共政權的崩壞。

鄧小平的韜光養晦，隱伏著中共的邪惡本質，中共最終要對西方民主實行反攻倒算，這本身有其必然性。但換一個人主政，或許會比習近平更理性，更有謀略，更知進退，因此也不會屢屢翻車，不可收拾，不會衰落得那麼快，這便是偶然性。

中共的戰狼外交在特朗普手上碰釘子，但特朗普的「美國第一」國策，卻造成美國孤立。直至拜登上台，致力修復與盟國的裂痕，合縱連橫，很快建立一個以美國為中心的民主世界同盟，其中有普世價值為共同思想基礎的必然性，也有拜登戰勝特朗普當選總統的偶然性。換作特朗普連任，西方團結不易為，中共的處境也不會壞得那麼快。

雖然歷史的必然性與偶然性，都指向中共的崩潰，但真正發生百年大變局的契機，卻還是決定於兩個基本變量，一個是中共實力衰落的速度，一個是中國人民反抗的激烈程度。

中共改革開放四十年，造就了強盛國力。江朱朝與胡溫朝國力尚淺，國進民退初試啼聲，破壞剛剛開始。直至習近平上台倒行逆施，大撒幣大外宣花錢如流水，國內經濟政治大倒退，長期損耗經濟與民生的基礎。民營企業打一個少一個，國企佔盡資源卻日益虛胖，國庫進的少出的多，官員食之者眾謀之者寡，十年以下，中共的國力以驚人速度崩壞。

另一方面，民間對中共的服從程度，卻隨著經濟民生的敗壞而不斷削弱。起先，不服管的只是一小撮自由派知識分子與維權律師，這部分只佔人口一個百分比零頭，雖然政治能量大，但很快被中共鎮壓瓦解，至今已疲不能興。

與此同時，中共仗著巨無霸的國力，卻對民間不同社會階層實行全面壓迫，國進民退打擊私企老闆，清算教培得罪大量就業教師，向網絡平台開刀又砸大批中青年飯碗。經濟上倒退，外商外資撤走，造成大量農民工失業，大學畢業生成了社會邊緣人，中產階級因經濟滑落理想破滅，到最近，清剿衛生系統又使醫務人員怨氣衝天。至於種種惡法窒息人心，更神憎鬼厭。

本來，中國人安於歲月靜好，退休了有退休金安渡晚年，病了有醫保解決難題，如果就業情況好，多數人享受現世快樂，沒有心情搞抗爭。一旦經濟情況惡化，各行各業基層民眾都感受生存壓力，社會不公的怨言就平地而起。

政權的穩固取決於官民兩方面變量的對比，國力強了，民間反抗勢必較弱，因為政府有餘力用錢擺平民怨；反之，國力弱了，處處捉襟見肘，力不從心，民間的要求得不到滿足，民怨四起，便會醞釀社會危機。

國力強反抗力弱，國力弱反抗力強，其間力量對比的變化，是一個積量變為質變的過程。初始階段，中共武警公安足以鎮壓民間反抗，但隨著雙方力量對比的變化，政府日益陷入被動，心不能使臂，臂不能使指，對山高皇帝遠的基層，便慢慢失去控制能力。

中央缺錢必然失能，對不同級別官員的控制也力不從心，地方自主的膽量越來越大，地方的獨立性也越來越強，到最後，政令不出中南海，便是無可奈何的結局。

中共有數百萬公安武警與軍隊，公安武警也需要大量財政預算來維持。六四時三十八軍軍長張承先甘冒軍事法庭審判的風險，也敢於公然抗命拒絕開槍，可見軍隊中也不乏有良知的將領。軍隊如此，公安武警出身基層，對社會危機感同身受，一旦政府開不出薪水，還有人會與中共同心同德嗎？

國力與民怨互為變量，衍化形成一個合力，便是推動中共崩潰的巨大動能。這個衍化的過程需要時間，短則五年長則十年，中間還要加上天災、戰爭等意外因素，因此，誰也無法給出一個準確時間。到某一臨界點，契機驟然降臨，歷史的靴子落下，方生方死，皆有定數。

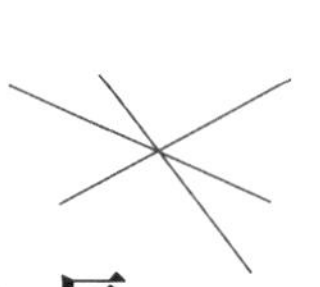

長痛不如短痛：中共崩潰後，中國會怎麼樣？──「也說崩潰」之四

有網友留言，說中共崩潰是長痛與短痛的問題，這也正是我的想法。中共在是長痛，中共崩潰是短痛，長痛短痛都要痛，寧肯短痛也不要長痛。中共在，怎麼改都是中共獨裁，中共不在，中國人才有起死回生的機會，兩相比較，短痛是要接受的痛，長痛是不可接受的痛。

中共崩潰後，中共政權就散了，地方政府有的也垮了，有的可能維持。中央沒有錢撥下來，各省都是赤字，日子難過。中央失踪，行政沒有方向，地方政府沒錢，也沒有權威，民眾不會服從，社會必將大亂。

更糟糕的是，中共統治七十多年，灌輸一套違背人倫常理的價值觀，社會惡質化嚴重，有道德理想與承擔的人少，無視法紀損人利己的人多，要凝聚社會共識、追求理想國體的難度更大，這個過程需要多長時間，沒有人知道。

中共崩潰一定基於國家財政崩潰，到那時，大量退休金誰來發放？醫保如何維持？公安武警因欠薪無法執勤，社會治安靠誰維護？政府失去管治能力，社會失序，天下大亂，百姓如何自保？這些問題，想起來就令人心焦。

但中共崩潰後，也並非一點好處都沒有。首先，沒有中共的獨裁統治，人民最先得到的是自由，國家所有制不存在，個體經濟自由生發。市場自我調節，有需求就有供應，有生產銷售就有循環，市場機制會最先恢復，這是人民休養生息的條件。沒有中央，沒有政府，沒有軍隊，市場一樣存在，經濟活動照樣進行，甚至會比中共崩潰前更有活力。

其次，中共崩潰後，獨裁管制不存在，市場出現前所未有的空位，一定有不怕死敢冒險的外資，包括港資台資再度進入，這也為亂世帶來一定的生機。大陸本身的私企，沒有了政府的壓迫與剝削，對未來寄予新的希望。有人開店，就有人求職，有人開廠，就有人打工，有新產品就有銷售，有市場就有資金投入，有收入就有再生產的可能。經濟慢慢修復，社會機器重啟，雖然過程痛苦，但充滿希望。

再次，龐大的政府機構要壓消失，要壓大量縮編，省下巨額行政開銷，地方政府容易應付緊絀的財政。中國人不要養大量貪官污吏、皇親國戚與政府冗員、不要照顧退休老幹部，不用養軍隊武警公安，不用花錢維穩，更不用花巨額公帑去「支援世界革命」。那時地方政府的稅收，全部都可以用到公眾身上，當然，前提是建立有效的公眾監督。

最後，中共崩潰後，中國人瞻望前景，有台灣的民主制度與港英的法治作現成參照，大量從西方學成回國的專業人士，以切身體驗為政治改革吶喊助威，這都是中國走向民主體制的有利條件。沿海省份需要資源與市場的幅地，內陸省份需要對外通商，長期分裂不利於經濟發展與文化交流，因此不同省市之間通過談判而合作的機會還是存在的。當其時，台港制度優勢將再度向北幅射，為中國的民主進程再作貢獻。

最理想的狀態，是中央崩潰後，共產黨宣佈解散（如俄國），地方政府與軍隊中的有識之士，拋棄社會主義體制，站在地方利益的立場，管理好地方事務，安邦恤民，慢慢過渡，開放黨禁報禁，籌備各級民主選舉，那樣的過度，也不是完全不可能。

當然，要經歷一段無政府狀態，時間有長有短，動亂有輕有重，有的規模小，有的時間長。各省市之間也會有矛盾衝突，互相之間有關防，又要做生意，搞得不好開戰也有可能。

這都是一個過程，即使發生武裝衝突，誰都無法消滅對方，只是互相消耗，很不合算，因此最終仍要和談了事。和談的結果，便是利益均分，互相制約，之後可否在共同利益基礎上，達致某種形式的聯邦，那就要看中國人的造化了。

唯一可以阻止中共崩潰的，還是中國人自己。要是社會壞到頭了，中國人還是選擇黑壓壓跪倒在政府門前，年輕人在家裡躺平，中產麻醉自己，退休老人準備吃草，那中共當然不會崩潰，那就是長痛之局，那就是中國人自己選擇的未來。

中共崩潰是大概率事件，不管你願不願意、信或不信，崩潰總會發生。崩潰後不會風平浪靜，要經過一段長時間的磨難，最終重頭收拾舊河山，打造一個新中國。或許，大中華版圖從此分裂成若干個小國家，小國也沒甚麼不好，只要百姓安居樂業，小國就小國（好像立陶宛），可能比大國更容易管理。但出於長期經濟利益，小國仍要尋找互利的模式，到時又是另外的選擇了。

中共崩潰最令人無法想像的，是那些核彈頭怎麼辦？最終會落到誰手上，他又會如何安置那些滅絕人性的武器？這真不敢想了，是福不是禍，是禍躲不過，且留待歷史去見證。

天下興亡匹夫有責，面對如許可悲的國運，一介文人憂心忡忡，有時未免想多了。面對所有無解的難題，除了中共崩潰，我不知道中國還有甚麼出路，香港還有甚麼起死回生的機會，台灣還有甚麼安全的保障。一廂情願也罷，胡思亂想也罷，以上推測就是我目前的認知，對與錯不在乎，我只希望能活到驗證自己看法的那一天。

崩潰與重建：關於未來中國的想像——「也說崩潰」之五

有網友在我上篇文章後留言，說我高估了大陸人的質素。我沒有高估大陸人的質素，中國人心之離散與敗壞，在中國歷史上前所未見，它與中共的道德淪喪成正比。中共之惡，集封建主義、資本主義、社會主義惡之大成，抵達古今中外惡之最底部。

中共之惡來自老毛之惡，老毛之無恥殘暴，在中國歷史上登峰造極。中共早期幹部中也有一些原有救國理想，但在老毛文化人格的薰陶之下，數十年習惡為常，變得一樣沒有人性。

上之所好下必甚焉，中共各級幹部之惡，毒化中國社會的風氣。當官的貪婪無道，民間也不擇手段歛財；當官的荒淫好色，民間也做權色交易；當官的害人，民間也能互害；當官的暴虐，民間也用暴力說話。

中共崩潰後，社會難以收拾，國家難以重建，要重建社會和國家，先要重建正常人心，這是一項空前艱難的文化工程，要以十年為計才能脫胎換骨。

但我相信人性還是根深蒂固的，人心的最深處，不是人間數十年積非成是的惡俗，那裡還有最堅固不可動搖、不以人的現世體驗為轉移的、決定人的本質的基本人性（刀郎的「羅剎海市」火爆，證明中國人對世道之顛倒深惡痛絕）。也就是說，現今世道之壞，只是浮在表面的精神污染，而最深層的人性，那些理性的、溫情的、民胞物與的人之天性，永遠都會在，因為改變人性，不是以十年百年為單位，是以千年為單位。

中共崩潰後，大陸不免經過一段長時間的內亂，一段無政府狀態，但人民飽受世亂之苦，亂極思治，最終會產生一種共同願望，便是如何為社會安定找一個終極的出路。不管最後是分裂成幾個或幾十個小國，還是仍舊回到大一統但卻包含地方自治架構的新體制，總之無政府狀態不會長久維持，因為人性最終會殊途同歸，會對亂世感到厭惡和抗拒，希望安定下來，安居樂業，和氣生財。

中共崩潰之後，大陸人最先得到的是自由。自由是雙刃劍，能完善自我，也能傷害他人，因此需要為自由制定必要的邊界。自由是以不傷害他人自由為邊界，這就要建立平等的觀念，平等要建立在人權的基礎之上。人權是你有多少權，他也有多少，人人都有同等量的權利，你有他人沒有，你也不會有。

但要拿甚麼來保障人的權利？唯有法治可以。法治就是界定人與人之間的關係，人與政府之間的關係，人與社會之間的關係，政府與社會之間的關係。法治對任何人都適用，法律面前人人平等，但要保障法治的貫徹，又不得不仰賴民主的制度。唯有人民選出來的代表，負責立法、司法與執法，才能保障法治的完整與充分貫徹。

大陸十三億人，大部分對普世價值都缺乏認識，如何在亂世之後，普及自由人權法治與民主的觀念，如何在分崩離析的民間思潮中形成一個主流的共識，這便是一個長久艱難的課題。

中國人民受共產黨之苦久矣，亂世之下，思想與現實都沒有出路，到時便是民主思潮與專制傳統觀念爭奪人心的時候。值得慶幸的是，中國人有台灣的民主制度，與港英的法治環境作為現成的參照系統，中國人只要看看台灣，看看港英時代的香港，便明白救國之路在何方。

中共崩潰之後，很難不出現各路「諸侯」佔地為王的局面，但不論是地方官還是軍方將領，一旦掌握了地方權力，他們也要保境安民，發展經濟，注重民生，否則，他們也無法保住權力。因此，地方官與軍頭也只能順時代潮流而動，探討地方自治、民主發展的道路，不如此，中共的下場就是他們的現眼報。

民主會在鄉鎮一級萌芽，從鄉鎮草建民主雛型，然後逐級往上，逐步完善，互相交流參照，到市一級到省一級，甚至到國家一級。中間會有反覆，曲線發展，會進三步退兩步，會功敗垂成，另起爐灶，但總的方向是融入普世會值，這是時代潮流，遲早都只有這一條路走。

當然，沒有人知道這段時間會有多長。我說中共崩潰短則五年長則十年，這只是一個粗略估計，但中共崩潰之後，大陸要經過多長時間的混亂與磨合，才能過渡到民主體制，這卻是無法估計的，那就要看中國人的命數了。

最有利的還是廣東與福建，當年改革開放始作俑者也是這兩個省，因為他們各有香港台灣地利之便。不論中國如何變，香港都要與廣東保持良好的互動關係，廣東是香港水電和生活物資供應的腹地，廣東也是香港與內陸省份隔離的屏障，省港脣齒相依，香港可避過亂世之劫。

輯三

世事如棋

分久必合或合久必分，世道巨變需水到渠成

有網友私信給我，問「讀歷史每到民不聊生天災人禍都有革命，但中共政權統治下經歷三反五反及文化大革命，國民之傷痛死人數千萬，為甚麼不見民反？」「為甚麼台灣不反攻大陸不見革命？」

第二個問題容易回答，台灣發生革命的根本原因在台灣內部，不在反攻大陸，台灣民主轉型順利，國泰民安，沒有發生革命的條件。至於前面的問題，那就複雜多了，只能粗淺談談。

古人的智慧是：天下大勢，合久必分，分久必合，分合之際，以「大勢」為轉移。何為大勢，基本上分兩方面，一是統治集團政權的穩固性，二是人民生活的處境。政權穩固，有天災人禍，民變也難發生，發生後也容易處理；政權不穩固，民變一生即成燎原大火，雙方力量對比急速變化，那時就有改朝換代的可能。

在人民方面來說，大多數百姓有溫飽，民變不太可能發生，若饑民流離失守餓殍遍野，那就可能激起民變。若民變發生又逢統治集團虛弱，天下大變的機率就大很多了。

三反五反，中共對付的是少數人，工農大眾還是「主人」；大饑荒年代餓死四千萬，但中共政權還算穩固，有足夠管控民間的力量；文化大革命天下大亂，但大饑荒已過去，民間生活得到改善，文革期間老毛摧毀各級政權，天下大亂，社會生活仍基本平穩。

中共建政後，對中國人實行共產洗腦，對外反帝反殖，對內鎮壓反革命，成功把中國建成一個世上最大的監獄，中國人思想單一行動規矩，認識水平停留在蒙昧狀態，對個人權利沒有概念，對民主自由也無認識，即使有零星對現實不滿的人，也掀不起大浪來。

中國人的民族劣根性根深蒂固，愚昧封閉，因循守舊，自私膽怯，逆來順受，好死不如歹活，這都使中國人容易對痛苦麻木。中共是古今中外所有劣政的集大成者，中外歷史上很難找到一個政權，把對人民的洗腦灌輸和暴力管控做到那麼徹底。

弱者愈弱，強者愈強，雙方力量對比懸殊，要改變就更難。有人一說到中國，就是只能批判中共，不能批判中國人，這是一種政治正確的姿態，不能說明問題。國家的問題從來不只是統治者的問題，也有被統治者的問題，這方面很多前賢都有論述，如魯迅、陳寅恪、台灣作家柏楊等。

最近大陸因動態清零引起民不聊生，不少地方發生社會衝突，有人又預言社會在崩潰中，要回答這個問題，要看整體，看發展趨勢，看社會的根本矛盾。

中共是否處在崩潰的過程中，中共還可以維持多久的統治，崩潰的過程會有多長，這些都是問題。崩潰不會在一夜之間發生，百足之蟲死而不殭，爛船還有三分釘，一切還要看官民兩造力量的對比發生甚麼變化。

上海封控期間市民衝卡，有人喊口號「我們要吃飯」，那時應者雲集，當口號變成「我們要自由」時，周圍都靜了。近日鄭州大學生鬧事，帶頭的學生要衝到大學行政樓，身邊的同學都卻步，這是甚麼原因？這就是民眾的覺醒程度還很有限。民眾缺乏強烈的政治要求，而政權維護統治的暴力足以彌平民間反抗，改變就沒有那麼快到來。

但中共政權又是否很穩固呢？如果穩固，習近平就不必一天到晚講鬥爭，講執政安全了。中共與人民的矛盾在加深，中共管治人民的難度在升級，事態在發展變化中，中國人何時才被逼上絕路，何時才有改變的強烈願望，而中共何時才力不從心？

習近平以穩住政權為執政要義，為活命已到不擇手段的地步，但你想活，世道容不容得你活，那就是另一個問題，中共上層的崩潰，會先從基層大面積瓦解開始。基層政府沒錢，上級無力救助，政府人員削減，工資發不出去，士氣低落，官員躺平，民間管治失控，民變四處蔓延，那就是整體崩潰的苗頭。

可以肯定，中共已陷入不可解脫的危機，一切都在向壞的方向發展。二十大後顯示，中共並不打算改弦易轍，不準備重回改革開放和以經濟建設為中心的路線，決心與民主世界對抗到底。眼前的內外困境無法解脫，危機只會逐步升級，看不到走出螺旋式下降的可能。

這是一個正邪爭持的時期，前景很清楚，過程還有反復，這也是歷史發展的正常規律。

台灣生路：不求戰不畏戰，不獨立不和談

台灣副總統賴清德過境美國，前往洪都拉斯出席總統就職典禮。在美國時與美國政要視訊會議，賴清德面前擺了中華民國國旗和美國國旗。

在外交場合，一切程序都有規矩，賴清德面前這兩面旗，不是賴清德自己想要擺就可以擺的，也就是說，美國已視中華民國為外交地位對等的國家。

這種外交禮遇不自今日始，美國國務院早就同意台灣政府駐美機構可以升中華民國國旗，美國政府高官可以出席台灣駐美機構的活動。

美國撐台灣，採取切香腸的策略，不動聲色，只做實事，一切不再看中共臉色。有些事即時做，有些事慢慢來，見縫插針，隨機應變，自己做之外，也鼓勵盟國做。台灣在各西方大國之間遊刃有餘，朋友越來越多。

兩岸局勢發生根本性的改變，台灣主動，中共被動。中共「三不五時」有動作，有說二十大後會有新的對台方略出籠；有說兩岸統一後台灣仍可舉行選舉，只是台獨分子不得參選；有說統一後台灣的財政收入可全數用以改善台灣人民的生活；有說統一後免除國防開支，台灣平均每人每年可增加二萬美元的收入。

一個大餅畫在牆上，台灣人會口水如泉湧嗎？

統一後台灣人可以選舉自己的領導人？莫非不統一台灣人沒得選？現在不但總統自己選，立法委員、縣市長也都是選出來的。不但全部民選，而且沒有任何限制，台獨分子要選，只要有選民支持，他照樣可以當選。統一前無限制，統一後要問准中共，那統一有鬼用？

統一後台灣的財政收入可用來改善台灣人的生活？莫非現在不是這樣？中國的財

政收入用來養肥紅二代權貴家族，台灣的財政收入百分之百用在台灣人身上。不統一，台灣的錢是台灣人的，統一後，誰知道錢會去了哪裡？那統一有鬼用？

統一後平均每個台灣人可增加二萬美元？用目前的軍費支出除以台灣人口，自然會得出一個數字。但你去問台灣人，是要付出必要的軍費，來保障自由民主的生活，還是要多分一些錢，來交換奴隸身分？軍費是必要開支，好像柴米油鹽，節省了軍費雖然好，但面對對岸脅迫痛苦卻更多，台灣人又不是沒飯吃，只要發展經濟，獨立自主，區區二萬軍費又何足道哉？

更重要的是，時至今日，中共說的話，還有人相信嗎？香港一國兩制已成世紀大謊言，台灣人見多識廣，豈有自投羅網之理？

兩岸統一最大的阻力不是台灣人，是民主與獨裁不可共存。民主與獨裁，不是我吃了你，就是你吃了我，台灣沒有力量吃了中共，只有被中共吃掉的命運。

統一無法解決的是台灣與美歐等西方國家的關係。西方民主國家與中共勢如水火，台灣與中共媾和，勢必背離西方國家。台灣是背靠西方好一點，還是背靠中共好一點，這是一字咁淺的問題。

台灣照目前的路慢慢走，一定順風順水，如與中共談和，未來遭遇不可預測，變好的概率近乎零，變壞的概率大過天，那台灣人是吃飽飯沒事幹，專與自己過不去？

兩岸一統一，中共最先收割的，一定是台積電這些高科技產業，逼他們交出技術機密，逼他們與美國斷絕交往，逼他們讓國家資本入股，派董事參與管理，這些都是中共慣技，除非台灣人都懵咗，否則誰會再上當？

兩岸統一，中共一定滲透台灣，以各種統戰手法分化台灣人，改變島內政治結構，挑動族群矛盾，台灣內部分化，中共趁機收割，到時解放軍長驅直入，台灣已沒有自我防衛能力。

蔣經國在生時提出「不接觸不談判不妥協」，這個大國策永遠適用，台灣以不變應萬變，必立於不敗之地，台灣不求戰不畏戰，不獨立不和談，可策萬全。反之，照馬英九「始戰即終戰」說法，未言戰先跪下，出賣尊嚴，出賣利益，出賣子孫福祉。

蓬佩奧即將到台灣訪問，「肥蓬」減肥後精神爽利，他是美國友台派代表，是到訪台灣的美國政要中身分最顯赫的一個。他與蔡英文密斟，各自交底，心照不宣，肥蓬叱咤風雲，背後是共和黨，是美國政商兩界，台灣的前景不只是好，而是會更好。

中共說的比唱的好聽，做的比說的可惡，台灣人還稀罕統一嗎？台灣人立足和平，做足備戰，路路皆通，足為中國人開萬世太平。

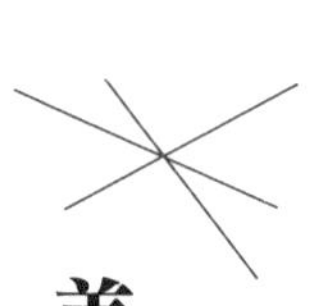

美國合縱連橫，中共四面楚歌

七大工業國外長會談發表聯合聲明，譴責中共在人權問題上的倒行逆施，強調台海和平，並支持台灣加入世衛組織；同一時間，歐盟宣佈中止「中歐投資協定」，並擬立法防堵中共併購歐洲企業和參與競標；與中共國關係密切的德國與新西蘭，近期相繼就中國人權問題發聲，措詞強硬。

至此，中共在西方發達國家裡，已幾乎沒有朋友。

「中歐投資協定」是拜登上台前草簽的，拜登政府曾力阻而不成功。按理，這是中共離間美歐關係一步活棋，可惜不足半年時間，中共就把歐盟各國都得罪遍了，形勢逆轉，美歐裂痕迅即彌合。

與此同時，中共因派遣大量民兵船到菲律賓海域耀武揚威，引致菲律賓外長用粗口招呼。菲律賓小國寡民，一度親華遠美，結果中共又是「為叢驅雀，為淵驅魚」（毛澤東語）。

中國外交在兩年內急轉直下。美中貿易談判本來接近完成，習近平無端翻盤惹火了特朗普，自此兩國關係走下坡。疫情初起，中共非但不承擔責任，更借趙立堅之口甩鍋給美軍，無中生有嫁禍於人，令美國朝野極度反感。

經營大國政治，應有大國胸襟、大國風範、大國謀略，立足於全局，立足於長遠，不應任性胡鬧，小不忍則亂大謀。文革後中共起死回生，全賴美國扶持，與美國保持良好關係，是中共長遠發展的前提。近年中共在國際上諸事不順，不得不歸咎於中美關係的交惡，這一點，稍有常識者即可明白。

美中交惡後，中共要改善處境，唯有多交朋友，少結仇敵，避免自我孤立。美國與歐洲有嫌隙，本是可利用的弱點，中共花七年時間與歐盟談判「中歐投資協定」，本希望穩住歐盟，在經濟科技和外交上另謀出路，可惜一頭要討好，一頭又去得罪，其間的弱智與魯莽，令正常人無法理解。

中共戰狼外交官在歐洲橫行，到人家家門內罵大街，為雞毛蒜皮之事，逞一時口舌之快，結果是招人嫌惡，為中共的國際形象抹黑。

外交是一個國家的公關工作，應考慮全局，考慮長遠，不是小孩子玩泥沙，玩得不開心可以推倒重來，在一個國家建立良好的自身形象很難，但要破壞那個形象卻很容易。西方國家民意為上，中共在人權問題上作惡，以經濟脅迫達到政治目的，都是犯眾憎的事。當民意一邊倒，政客不得不跟隨，中共在全世界神憎鬼厭，朋友星散，強敵林立。

美國要圍堵中共，歐盟是大難題，美國正欲離間中歐關係，中共自己卻送上門去，主動把中歐關係搞壞了，讓拜登政府冷手執個熱煎堆，世上最愚蠢的事無過於此。拜登上台才半年，歐盟已搞掂，韓國歸順只是時間問題，菲律賓一反水，東盟也破了口，中共在全世界替美國外交掃除障礙，把自己搞成孤家寡人，世上有這麼「英明」的大國外交嗎？

基於東升西降的誤判，「時與勢都站在我們一邊」，「四個自信」更造就自我膨脹目空一切，把一盤好好的棋，下成一個死局。當年毛澤東扭轉乾坤，周恩來長袖善舞，鄧小平能屈能伸，起三人於地下，真正有眼睇，而仍在世的朱鎔基溫家寶看在眼裡，又情何以堪？

西方國家已完成整合，中共身邊只剩北韓、伊朗、古巴幾個饑腸轆轆難兄弟，聯俄抗美也已夢破。拜登上台短短半年，中共自毀長城，幫助美國完成合縱連橫之大局。

中共從來沒有在外交上嚐過如此慘痛的敗績，這個結果或許不可免，但只要稍微講究策略，適當收斂火氣，顧大局謀長遠，巧妙周旋，事情不至於惡化得這麼快。令人費解的是，中共為何如此氣急敗壞，加速在絕路上狂奔。

歸根結底，中共患的是左傾幼稚病，浮躁蠻橫，孤僻淺薄，如今獨對殘局一籌莫展。此後經濟受阻，科技受挫，民生受困，又怎一個愁字了得？

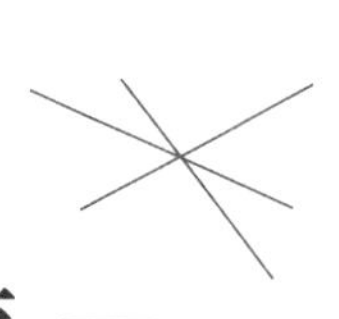

「東升西降」一枕黃粱，末路狂奔下場可料

時至今日，還有三三兩兩西方學界中人，對中共的「中國模式」、「東升西降」信心滿滿，這些人混淆視聽，在西方世界為中共抬轎子。

要瞻望未來，先要洞悉歷史，中共在這四十年間經濟起飛，原因是甚麼？搞清楚這些原因，再看看今日這些因素還在不在，就可以預見到中共未來的命運了。

中共起死回生，最重要的起點是鄧小平的改革開放。文革後中國瀕於崩潰，眼看中共的江山守不住，鄧小平力主調整國策，「韜光養晦」，向西方磕頭求助，放棄社會主義計劃經濟，引進資本主義市場經濟。中國人死裡逃生，個個如蒙大赦，投入商品經濟大洪流。

為經濟起飛，中共不得不放棄意識形態專制，先是引進港台影視和文學作品，繼而引進西方當代思潮，開放內地的文化市場，黨性壓抑，人性突顯。文化上的開放，為市場注入生機。

為爭取西方援助，鄧小平主動與美國交好。為討好美國，甚至發動一場中越邊境戰爭，作為親美的投名狀。鄧小平訪美時請求派出中國留學生，開啟引進和竊取西方現代科技的大門。

與此同時，全球化啟動，中國因利趁便打開大門，以優惠政策吸引外資。一則吸取西方資金和管理經驗，二則培養現代工人，增加就業，三則以代工起步，全力投入全球化潮流。

中共幹部吸取外國成功經驗，先從基本建設投資入手，大舉開發電廠、公路、橋樑，為經濟起飛打下基礎。其後全面發展高鐵、地鐵、機場、房地產，以投資拉動經濟，擴大就業，老百姓初嚐經濟成果，中共的國策得到人民支持。

在經濟基礎扎實後，中共又大力發展外貿，通過美國給予最惠國待遇，加入世貿組織，中共佔盡對外貿易的好處，大賺外幣，又將賺到的利潤再用於新的投資，於是風生水起。

中共為鼓勵基層官員，變相默許貪污，以GDP作政績考核，推動縣市一級的競爭。基層官員見錢眼開，拉投資，搞基建，增收入，從中謀取私利，基層經濟遂全面發力。

在經濟開放的同時，中共不斷放出政治改革的信號，八九民運受挫，很快恢復了西方的信任。西方對中共政治改革的期待，維持了四十年之久的中外融洽關係，為中共爭取到時間。

一是開放的國策，二是意識形態放鬆，三是中美關係良好，四是全球化得益，五是基礎建設投資，六是外貿佔便宜，七是默許貪腐，八是政治改革的謊言。可能還有其他的因素，不過以上八方面是主要。

中共多年順風順水，開始對外擴張，習近平上台以來更野心膨脹，肆無忌憚。自特朗普翻臉後，美中關係惡化，衝突增加，中共以戰狼外交四面樹敵，更種下不可彌補的惡果。

今日看來，一是開放的國策早已逆轉，高科技嚴酷管控民間；二是意識形態重回文革，社會文化一潭死水；三是中共與西方各國關係全面惡化，中外成脫鈎之局；四是疫癥導致供應鏈重組，全球化正在退潮；五是基礎建設已近飽和，投資拉動不可持續；六是戰狼外交連累，外貿遭遇滑坡；七是習近平打貪維穩，各級官員大量躺平；八是政治改革謊言破滅，西方視中共為普世價值大敵，由競爭走向對抗。

僅以上述八個方面來觀察，中共從主動變為被動，從發展變為倒退，從優勢變成劣勢，加上近年來對新疆實行民族滅絕、對香港肆意踐踏法治，對台灣堅持武力威脅，在在暴露中共獨裁真面目，形象惡劣，朋友星散，強敵環伺。四十年來倚仗各方面優勢造就經濟成長，在這些優勢條件相繼喪失之後，國進民退、政治高壓、財政困窘，科技脫鈎，文化僵死，不但高速成長成空話，甚至倒退之勢已不可逆轉。

反觀西方，因飽受中共威脅，已從數十年的懵懂中醒來，美國大手筆作基建投資，高科技制裁中共，歐盟停止中歐投資協定。西方各國啟動與中共的外交與軍事對抗，此長彼消，看不到任何改善關係的趨勢。

東升西降？全球治理？呢支歌仔已經唱不下去了，「平視世界」和「中國模式」也少講了，形勢全面逆轉，中共唯有轉攻為守，以內循環自嗨，能不能守得住，唯有天知。

那些宣稱中共將稱霸全球的政治掮客，只是服食政治迷幻藥後說胡話而已。現實殘酷，中西對抗之勢已成，由競爭發展至冷戰，會否由冷戰發展至熱戰？以中共一國之力，與整個西方陣營為敵，那是凶多吉少之局。稱霸全球？發夢都冇咁早！

無限抵近中共底線的美台關係

拜登的對台政策會不會更清晰有待觀察，其實清不清晰，也不在要不要公佈，美日兩國雙部長會談後，日本已放出協防美軍的口氣，證明會談中已有默契。對盟國和台灣，美國不需要公開聲明，只要內部互相耳語一番，就足以安定人心了。

美國對新疆、西藏和和香港的人權問題，說的多做的少，對台灣問題則說的少做的多。美國要求中共守國際規矩，中共不聽，美國就在台灣問題上極限施壓。中共有台灣不得獨立的底線，美國就以此為底線不斷抵近，又永不抵達。中共一係跳腳，一係開戰，除非改弦易轍守規矩，否則將噩夢不斷。美國抵近中共底線有以下六種招數：

一是高科技和經濟合作。美國各大科技公司爭相到台灣設立地區總部和研發中心，提振台灣經濟。台灣高科技群雄併起，是台灣安全的保障。

二是售賣先進武器給台灣。中共一旦犯台，台灣要支撐一個星期，才能等到援軍抵達。美國正大力售賣各種陸海空最先進武器給台灣，中共對此只有乾瞪眼。

三是加強雙方官方來往。美國官員可以參加台灣駐美機構活動、台灣在美駐地可升國旗，兩國官員互訪官階更高等等，以此提升台灣的國際能見度。從前不欲招惹中共，現在則溫水煮蛙，習慣成自然。

四是派出軍機軍艦在台海和南海巡弋。這是回應共軍海空擾台，你敢來我也敢來，你來多少我也來多少，你有多勁我比你更勁，以此宣示實力和決心。

五是拉攏盟國為台灣站台。盟國越多氣勢越壯，給台灣更大的定心丸。盟國同進退，對中共產生更大阻嚇作用。

六是協助台灣加入聯合國屬下各種組織。美國發動諸多會員國，提出接納台灣為世衛觀察員的議案，以此為跳板，後面還有更大想頭。

拜登前不久任命兩位新的高級官員，一位是國防部研發和工程次長徐若冰，一位是聯合國改革與管理事務代表盧沛寧。美國歷任政府，從來沒有吸納台籍人士擔任如此重要的位置。

徐若冰外祖父曾任中華民國空軍副總司令，盧沛寧外祖父曾任中華民國司法行政部部長和總統國策顧問，兩位先輩都是中華民國精忠之士。拜登任命兩位台籍女性擔任政府高官，如說沒有考慮美台關係，當然沒有人相信。美國正準備大量售賣先進武器給台灣，又有意協助台灣加入聯合國屬下組織，碰巧中華民國派駐美國的代表蕭美琴又是女性，工作需要時，有甚麼好得過三個台灣女兒坐下來「傾密介」，一五一十「拆掂佢」？

加上貿易代表戴琪，拜登政府中已有三個重要職位賦予台灣女性。美國有那麼多出身自大陸的知識女性，有的更是各行業精英，偏偏沒有一個大陸女性被授與高職，拜登厚此薄彼，做到出晒面。

中共開戰的前提是台灣獨立，但如台灣不宣佈獨立，是否中共永不開戰？那就要看美國挺台會做到甚麼地步。做到美台建交將如何？做到支持台灣加入聯合國為正式會員國又如何？中共一日不開戰，美國就一日往前逼進，中共一日不守規矩，美國就一日不停手，中共噩夢連連，美國老神在在，這樣的日子，中共能忍耐多久？

既然中共劃出不可觸碰的底線是台獨，拜登就守住這條底線，但在這條底線之上，還有無限想像和操作空間，只要永遠不觸及底線，就可以無限抵近底線，這樣中共武裝攻台就沒有正當理由，就得不到國際社會的認可。中共有沒有可能失去耐性？當然有，中共一旦在台灣未宣佈獨立前發動戰爭，美國就有協防台灣的充足理由，因為底線是中共自己劃出來的，是中共自己反口。美國如作好打的準備，也就不怕真打，抵近底線，不觸底線，立足於打，爭取不打，這就是是拜登的如意算盤。

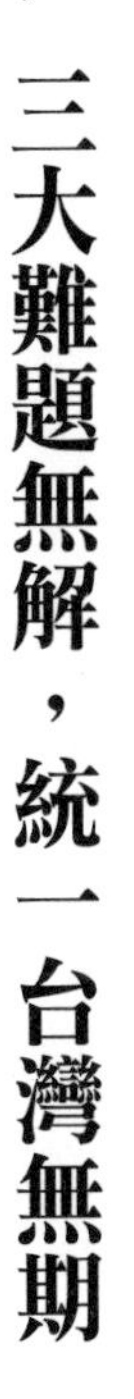

三大難題無解，統一台灣無期

拜登上台之初，中共軍機加大擾台規模，一則是做給大陸人看，二則是做給拜登看。中共深知，中美蜜月期早已結束，不管誰執政，美中關係都不會好，可惜除了軍機擾台，中共現在對台工作已經一籌莫展。

中共統一台灣的強國夢做不下去了，這個苦果是三個關鍵因素決定的，一曰體制，二曰民心，三曰時勢。體制是根本性的，中共是一黨獨裁體制，台灣是民主體制，二者水火不相容。鄧小平的「一國兩制」，初時還有一定的欺騙性，但數十年來，這條路越走越窄，直至去年香港反送中運動，獨裁真面目更自我拆穿，「一國兩制」急速貶值，如今連作墻紙之用都嫌礙眼。

台灣民主體制運作順暢，最近《經濟學人》公佈全球民主指數，台灣在一百六十七個國家中排名第十一，高居東亞之首。台灣與中共隔海分治，日子很好過，台灣與中共統一，卻有被吞併的危險。中共的往績，證明他們永遠不會與人民分享權力，台灣一旦落入中共手中，台灣的民主制度將付諸流水。

兩岸一旦統一，國民黨淪為門客，民進黨淪為陪襯，台灣人則淪為奴僕。以台灣現今的政治自主經濟自強文化自立，對比中共的殘酷專政，僅此一端，便足證統一沒有政治基礎。

其次，民心向背更是死結。自蔣經國開放大陸探親，民間來往形成熱潮，其後台商到大陸投資，中共藉台商的利益訴求，大搞統戰，又通過兩岸通婚和求學，向台灣輸出大陸移民，在島內政商學界與新聞文化界長期滲透，改變台灣政治生態。再加上國民黨在島內充當中共吹鼓手，一度使統一議題大行其道。

但台灣畢竟是資訊自由的國家，中共貪腐的政治體制，獨裁嚴酷的社會管控，對少數民族的種族滅絕，對多元文化和新聞自由的戕害，種種劣跡罄竹難書，台灣人尤其是年輕人普遍存在對立情緒。再加上馬英九搞服貿大失人心，香港人的遭遇如反面教材，使民間更反感，台灣民心一面倒拒共，統一更成世紀大謊言。

中共長期以武統恐嚇台灣人，江澤民時代打導彈，習近平時代戰機侵擾，文宣上的威懾無日無之，一副惡形惡相，如何俘獲台灣人心？人心不得，統一又何從談起？

關於時與勢，稍有常識者都知道，時與勢從來沒有像現在這樣遠離中共，統一台灣之夢，從來沒有像今日這樣遙遠。習近平說「時與勢都在我們一邊」，只是幫中國人打雞血而已。

在中共來說，經濟自峰值下滑，高科技面臨斷炊之苦，外交上處處碰壁，軍事擴張消耗國力。內部問題多多，經濟爆雷陸續有來，這樣的內部時勢，沒有最壞，只有更壞。

外交上，蕭美琴出席拜登就職典禮，逼得崔天凱避席；拜登至今不與習近平通話，擺明了態度傲慢。美台關係根據美國國會多個涉台法案的新規定，將穩步提升，在拜登多邊外交政策推動下，各西方先進國家將與台灣有更多合作。

台灣憑藉高科技實力，贏得各大工業國青睞，台灣大量購買美國先進武器，自我防衛更有信心，使中共面對武統成本更高的難題。台灣處在第一島鏈中心位置，又關涉南海島礁爭議，更增加台灣的存在價值，美國出於本身利益，將積極協防台灣，這已成為不爭的事實。

如果中共曾經有過和統或武統的機會，那個機會已經一去不復返。中共統一台灣很心急，因為越是往後拖，體制的弱點越暴露，國力越消耗，民心越失，台灣的國際地位越提升，統一前景越不妙。但中共急，美台越是不急，更糟糕的是，和則無路徑，打則無把握，拖則無希望。

在習近平任內，以上三大難題都是死結，毫無解決希望，至於習近平之後，那就言之尚早，要看中國怎麼變，美國怎麼變，世界怎麼變了。

三民主義統一中國是有可能的

在網上看了幾個鄧麗君的短片，看到她去金門勞軍，看到她說大陸有機構邀請她去開演唱會她都不去，說她踏上大陸舞台的那天，就是三民主義在大陸實現的一天，然後，看到她演唱《梅花》，突然一時感觸，悲從中來。

多好的人，可惜遭天妒！比起她曾經喜歡過的成龍，那個在政協大會主席台上從後擁吻宋祖英的男人，簡直有天壞之別。但是，我相信，在三民主義的大原則之下，中國實現統一是有可能的，雖然未必再大一統，未必是中央集權，但民有、民治、民享這樣樸素的想法，與普世價值的訴求，基本是共通的。

中共早前向台灣放話，說統一後台灣人會生活得更好，似乎台灣人現在生活得很不好，要期待中共來打救他們。統戰早已成濫調，中共獨裁統治對台灣人還有甚麼吸引力？誰都知道，台灣人現在已經夠好了，沒有中共，未來還會更好。

台灣的民主體制已趨成熟，在很多政治經濟科技和民生的排名上，台灣都居於世界前列。台媒日前報道，台灣的高科技行業已執世界牛耳，南韓本來「食硬」台灣，近年因為親共被美國疏遠，韓國三星已經被台積電甩開，處於全面捱打的境地。

中美建交後台灣一度被逼到墻角，全球化又導致台灣資本與人才被大陸挖走，產業空心化，三十年來幾成「亞細亞的孤兒」。但台灣人沒有氣餒，蔣經國痛下決心實行民主改革，李登輝繼承蔣經國的遺志，扶持民進黨，形成兩黨制的格局，奠定台灣的民主基礎。

台灣處境的改觀，實際上是從美中交惡開始的。美國誤讀鄧小平的韜光養晦，用了最大耐心來期待中共的政治改革，最終發現養虎為患上了大當。美中關係惡化後，美國明顯向台灣傾斜，放手扶持台灣，直擊中共軟肋。

台灣是民主國家，是第一島鏈要衝，台灣的高科技又是未來世界經濟的支撐點，美國利用日本、印度與澳洲被中共欺凌的經歷，拉攏三個亞洲強國與台灣交好，互成犄角之勢，更說服歐盟國家也與台灣發展新關係。

大陸體制內經濟學家估計，未來五年大陸要過苦日子，而照台灣目前的內外形勢，未來五年正是台灣最好的時期，台海兩邊的格局不是沒有變化，而是正經歷一場實質性的大改觀，「台升中降」已成為不可逆轉的趨勢。

美國、日本、法國等民主國家都有支持台灣加入聯合國屬下組織的法案通過，年來台商資本人才回流，台灣又正大力拓展國際市場，台灣股市與地產暢旺到令台灣人都不敢相信的地步，如此看來，台灣人還要指望中共來打救他們嗎？

資金人才往哪裡走，預示哪裡前景不可限量。外資正全面撤出大陸，而資金與人才卻湧向台灣，此起彼伏，只有盲的才看不到。

中共的獨裁統治越來越不得人心，近日加拿大民調，也顯示國民對中共普遍存在惡感，加拿大總理特魯多一改軟弱立場，竟呼籲西方國家要聯合對抗中共，至於美國日本等西方民主國家，反共已成普遍共識。中共內政外交一塌糊涂，台灣內政外交卻欣欣向榮，現在的問題只是，中共甚麼時候垮台，如何垮台，垮台後的中國將經歷怎麼樣的亂世，然後達到新的穩定，而這種穩定又會以甚麼樣的形式來實現。

元朝曾經橫跨歐亞，蘇共勢力曾經霸佔半個地球，表面強大的政體，一旦走上衰亡的路徑，要垮台不但可能，甚至會來得很快。中共先前不可一世，短短一兩年就露出敗象，說要過苦日子，說要食草，說可能「故國不堪回首月明中」，當下共產價值觀崩解，社會亂象頻生，歸根結底，垮台只是時間問題。

中共體制崩解後，未來中國走甚麼樣的發展道路？到時能夠統一中國人思想的，只有普世價值，普世價值符合人性，符合每個人的基本訴求，符合國家的長遠利益。天下即將大亂，中國未來難免經過一個分裂的階段，然後痛定思痛，再回到談判桌上來，商量用甚麼原則來實現新的統一，到那時，只有普世價值才是最大公約數。

「梅花梅花滿天下，愈冷它愈開花，梅花堅忍象徵我們，巍巍的大中華。」鄧麗君的三民主義，即是今日台灣的發展道路，即是普世價值的中國說法，鄧麗君的心願是有可能實現的，她的歌聲終有一天會再傳遍天下。

文攻武嚇皆失效，台升中降成常態

習近平在中共國慶酒會上，只提九二共識和平統一，不再提武裝統一台灣。隨後蔡英文在「雙十」國慶講話中，提出「四個堅持」，包括「堅持自由民主的憲政體制」、「堅持中華民國與中華人民共和國互不隸屬」、「堅持主權不容侵犯並吞」，以及「堅持中華民國台灣的前途，必須遵循台灣人民的意志」。

外界對蔡英文的「兩岸互不隸屬」的說法大表驚奇，認為是重蹈李登輝「一邊一國」的說法，估計中共對此會有激烈反應。

不料最近習近平在慶祝紀念辛亥革命一百一十周年大會上，只重複一中原則、九二共識，推動兩岸關係和平發展，對蔡英文的「四個堅持」一點反應都沒有。

蔡英文的「四個堅持」說的都是政治現實，不是政治訴求。台灣現在已實現民主憲政，台灣人不可能放棄；台灣與大陸政權互不隸屬，這是七十多年來的現實政治，要談隸屬，那是誰屬於誰？至於主權不容侵犯並吞，台灣的前途必須遵循台灣人民的意志，那也是「阿媽即是女人」的常識而已。

習近平要反駁蔡英文的提法，沒有甚麼見得了人的理據，只有裝聾作啞，當蔡英文沒有說過。

更奇怪的是，在近日中共國恢復聯合國席位五十周年的會議上，習近平也閉口不提台灣問題。最近美國與歐盟紛紛公開支持台灣實質性加入聯合國組織，按理犯了中共的大忌，中共沒有理由不利用聯合國場合表態，習近平一反常態，這又是甚麼道理？

自十月一日後連續四天派一百四十多架飛機襲擾台灣領空之後，中共軍機已停止武力威嚇的慣技，四天襲擾花去一億美元的巨資，戰機的折舊率很高，加碼威嚇成本驚人，既然無效，只好按下不表。

七十年來無一日不彈統一老調，毛鄧江胡習五代人，唸統一經唸到今日一事無成。而習近平面臨的，是一個內外交困的局面，外交孤立已不可逆轉，內政全盤亂了套，繼煤價油價亂升後，連蔬菜價格也狂　，民間問題叢生。

繼十月十日莆田男子因土地糾紛手刃鄰居致二死三傷後，十四日莆田又發生一男子在街頭持刀斬人。十月二十四日河北保定有人在店鋪內持刀斬人致一死一傷，同一天，武漢蔡甸區羅漢村村支書一家五口被三十九歲村民殺死，嫌犯在逃亡過程中又再殺兩人。

這僅僅是有報道的案件。在如此短的時間內，如此頻密發生凶殺案，證明民間生活已惡劣到甚麼地步，證明地方政府的管治出現前所未有的危機。

政治經濟民生問題多如牛毛，地方官要應付上級催逼，壓力山大，為免多做多錯，地方官選擇躺平，各級政府正陷入不作為的怠政狀態。

台灣在上升中，中共在淪落，大勢已去，活命是第一要事，文統談不攏，武統打不成，台灣這顆苦果終究要吞下去。

可惜中共不想搞台灣，美歐等西方國家卻趁你病拿你命，正全力催谷與台灣的合作，台灣加入聯合國屬下機構已經在進程中。若有一日台灣進聯合國與中共平起平坐，或者台美建交，那時習近平又如何唾面自乾？

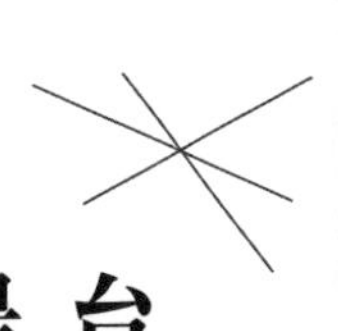

台灣參加民主峰會是劃時代歷史事件

拜登政府主辦的首屆民主峰會定於十二月九日至十日在線上舉行，受邀參加的有一百一十個國家，台灣也赫然在列。

民主峰會是拜登政府的大搞作。史上本沒有甚麼民主峰會，這完全是美國鑑於當下的國際政治環境，為對付獨裁的中國，想出來的一個主意。美國借民主峰會，把大大小小的民主國家都召集到一起，共同討論如何對付中共的威脅。過去十幾年來，中共以國力強盛為後盾，對東西方民主國家採取分而治之、威逼利誘的手段，佔了很多便宜。

民主國家沒有形成長期統一的陣線，被中共分化瓦解，各個擊破，以致世界格局上獨裁體制與民主體制分庭抗禮。中共偵騎四出，佔領戰略要地，霸佔戰略資源，一時風生水起。

一個村子裡有惡棍欺負村民，村民懦弱怕事，忍氣吞聲，但有一日，有大戶人家登高一呼，村民集結起來，互相照應，共同對敵，那時惡棍便洩了氣，不敢胡作非為。美國召集這麼一場峰會，就是要制止中共作惡，逼中共遵守規矩，否則後果自負。

這是一個劃時代的歷史事件，國際政治格局在這裡轉了一個大彎。

首先，這是台灣首次真正走上國際政治舞台，自此之後，台灣就撇除了「亞細亞孤兒」的宿命，作為世界民主大家庭的一員，與東西方民主國家平起平坐。

這是台灣二千多萬人民數十年來的盼望，也是台灣民進黨執政以來，取得的最大外交成果。這個事件將記錄在台灣和中國歷史上，也將記錄在世界歷史上。

其次，這是全世界民主國家一次空前的集結。先前民主國家各有各的利害，彼此有不同性質與規模的爭端，各自有問題，各自去解決，這種分化的局面被中共利用。但這一次是民主國家針對一個共同的敵人中國，大家基於共同利害，放下彼此紛爭，目標一致，就是扼制中共。

民主國家會在對付中共的問題上取得共識，各國深入探討，找到應對中共威脅的辦法，此後協同步調，聯合行動，一呼百應，形成巨大政治軍事與外交壓力，借此壓制中共的擴張。

再次，民主峰會隱然形成國際上敵對的兩大陣營，正如二次大戰時的同盟國與協約國之對立。以民主為一方，以獨裁為另一方，民主國家以道義為號召，獨裁國家以利害為依歸。俄國雖與中共國同時被排斥，但俄國與中共各有心病與盤算，普京已公開聲明不會與中共結盟，做朋友可以，做盟友就免了。

至於其他未受邀的國家，如新加坡、越南等，與中共也是互相利用，避免選邊站而已，決不會成為死黨。稱得上死黨的，大概只有朝鮮、古巴、緬甸、阿富汗等 仃小國，他們慣於吸中共的血，一旦戰禍起，只會跑得比兔子還快。

最後，世界民主峰會是美國陰乾中共的一大部署。美國多年來大意失荊州，盟國星散，聯合國屬下機構被中共拿走大半，中共要風得風，要雨得雨，反而聯合國始作俑者的美國，竟慢慢被邊緣化。

借世界民主峰會的基礎，一百一十個國家個個在聯合國都有投票權，美國勢將重組它在各大國際組織中的票源，以合法手段，奪回中共的主導權，美國重回主場，輪到中共被邊緣化。中共面對這樣的局面一籌莫展，必將處於長期被排斥的地位，要改變自己的處境，除了守規矩，俯就世界大潮，就剩下打仗一個選項了。

最近基辛格預言中共十年內不會打仗，美國眾議院軍事委員會首席羅傑斯與軍事教授高斯丹卻都預期，中共會在明年冬奧後發動戰爭。基辛格太樂觀，羅傑斯太悲觀，中共在面臨全世界杯葛，國力逐日陰乾，遲早會面對覆滅命運。

中共要打仗，只有在不打就會瓦解的條件下才會孤注一擲。習近平不會坐視前蘇聯自我解體的命運發生，在此之前，作生死一搏，打得贏萬幸，打不贏一了百了。

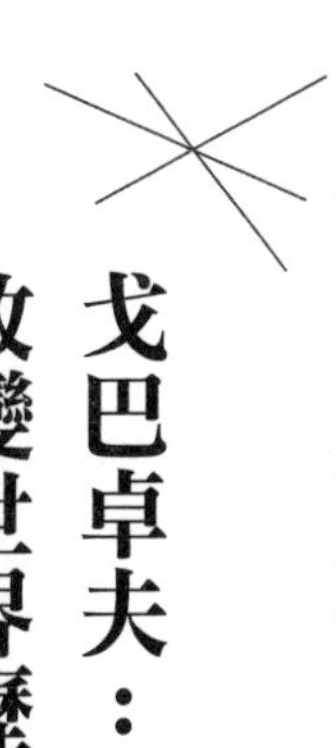

戈巴卓夫：改變世界歷史的政治偉人

戈巴卓夫去世了，九十二歲高齡，可謂長壽，據說晚年生活困窘，這是他的選擇，也是他的歸宿。他是改變當代世界歷史的政治家，環顧西方各國，沒有一個當代政治家在改變歷史這個高度上，可以與戈巴卓夫相提並論。

列根被譽為美國當代的偉大總統，戴卓爾夫人也有其歷史地位，但他們都只是「影響」了時代進程，他們沒有改變世界歷史。至於布什、克林頓、奧巴馬、江澤民、胡錦濤等，更等而下之，至於習近平，更等而下之而下之。

鄧小平也沒有改變世界歷史，他只是改變中共的命運，蔣經國改變了台灣歷史，但論到對世界歷史的貢獻，也只是局部。

戈巴卓夫的偉大，是他解體了蘇共，也解體了社會主義陣營，這是任何一個西方政治領袖做不到，也根本不敢想像的事。社會主義已成強弩之末，解體固然是歷史的必然，但如果當初蘇共領袖不是戈巴卓夫，而是另外一個人，那世界就不是現在這個樣子。

俄國有一句諺語，「人不能分兩次跨過壕溝」，蘇聯的改革遲於中共改革，但蘇聯改革從一開始就是政治與經濟同步，蘇共以「震盪療法」大刀闊斧對舊體制實施大手術。早在一九八七年，戈巴卓夫就實施法律改革，一九八八年他提出「人道的民主的社會主義」概念，放棄對東歐社會主義國家的控制，後來東歐巨變，蘇聯也沒有出兵干預。直至一九九〇年，戈巴卓夫宣佈廢除蘇共的領導地位，結束蘇共的政治壟斷，實行多黨制。

自一九八七年戈巴卓夫上台，到一九九〇年蘇共解散，只用了三年時間，蘇聯即使病入膏肓，這個進程也快得驚人，沒有戈巴卓夫，沒有人做得到。

戈巴卓夫的改革遭到來自黨內保守勢力，與比他更激進的葉利欽的兩面夾擊，一九九一年，「獨聯體」國家成立，戈巴卓夫被邊緣化，他終於辭職下台。但他短時間內大膽實施的政治改革，卻最終帶來社會主義陣營解體的政治後果，此後世界上再沒有東西兩大陣營的對壘，北約東擴，東歐社會主義國家實現民主的和平過渡，世界民主潮流大大邁進一步。

戈巴卓夫的偉大，首先表現在他洞察時代潮流的走向。共產主義的虛妄，無產階級專政的非人性，正是戕害民族生機的根源。正因為來自舊的營壘，他充分明白制度的弊端與危害，因此自改革第一日起，他的初衷便是徹底放棄共產主義理想。

戈巴卓夫的偉大，還表現在他完全站在人民利益的立場，而不是以一黨之私凌駕人民的終極福祉。他所作的政治改革，每一步都置蘇共於死地，每一步都為蘇聯人民的幸福奠基，以蘇共之死亡，換取蘇聯人民的活路。這一點在當代世界歷史上，只有國民黨的蔣經國做到了。

戈巴卓夫的偉大，還表現在他置個人榮辱與利害於不顧，居廟堂之高則憂其民，處江湖之遠則憂其世（不是憂其君），他沒有將個人的權慾置於人民的前途之上。當改革形勢危顛時，他不戀棧總統之位，辭職下台，避免了內戰危機。他離開政壇後，還為民主進步、公平自由的世界奔走疾呼，堅持自己的獨立人格。

因為戈巴卓夫，共產陣營分崩瓦解，此後只剩下中共獨撐馬列最後的陣地。而前蘇聯分裂後，冒出來的普京，一樣為害世界，這證明戈巴卓夫的改革並沒有成功，時也勢也，他改變了世界，但他始終沒能徹底改變俄國。

共產主義妖言惑眾，社會主義文化對人民的毒害，深度腐蝕了俄羅斯民族。歷史機遇來到面前時，俄國人並沒有做明智的選擇，相反的，倒是接近西歐的東德、捷克、匈牙利、波蘭等小國家，順利地過渡到民主體制，為本國人民開萬世太平。

普京上台後，將改革成果用來收買選票，俄國人社會福利好，以現實安樂交換自己的民主權利與身心自由，這是俄國人的宿命。他們還要等普京之後的下一波民主潮流，而戈巴卓夫已經等不及了。

蘇聯如此，中國也如此，專政洗腦腐蝕了人民的思想，現世安樂阻絕了人民的政治覺醒，中國人民命運之改變，也要等下一波的民主浪潮。因為錯失了命運轉折的契機，中國人將為未來的新生付出更大代價。

以戈巴卓夫的偉大反觀中國，唯有蔣經國可與之比美。戈巴卓夫改革失敗了，蔣經國改革成功了，因為台灣不僅有蔣經國，還有李登輝，而戈巴卓夫之後的葉利欽，卻不是他的繼承人。歷史有其必然性與偶然性，時也命也，夫復何言？但以對世界歷史的貢獻來看，蔣經國的經世功業，尚不如戈巴卓夫的影響之巨。

至於鄧小平，今日已經很清楚了，鄧沒有改變世界，甚至也沒有改革中國，他改變的只是中共的處境。當年的韜光養晦，只是中共救命稻草，卻不是中國人民的命運轉折。終極來看，鄧小平在世界歷史上，也沒有地位可言，在中國當代歷史上，也只是一個過客。

布林肯一言驚醒全世界

美中關係近期進一步惡化，美國頻出殺招，這些都很重要，但重要不過國務卿布林肯最近的一句話。

布林肯近期出席《美國大西洋月刊》活動時指出，全球之所以如此擔心台海爆發危機，是因為「這不是中國內政」，而是攸關全世界的問題。他說：「如果台灣因中國以某種方式的侵略，而出現危機，我認為這將對世界經濟，和世界各國造成災難性後果。」

布林肯說，全球每天有一半貨運通行台灣海峽，各式科技產品和汽車，所仰賴的半導體大多產自於台灣。布林肯此番論述，被視為是打破美國「戰略模糊」的慣例。台灣問題不是中國內政，這意味著台灣被視為一個獨立的政治實體，這是美國政府第一次踩過中共的底線，此後美國處理台灣問題，想怎麼做就可以怎麼做。

這意味著美國正在擺脫中美三個聯合公報的約束，雖然美國從來沒有承認中共的「一個中國」原則，也沒有承認中共的台灣問題「三段論」。美國自己只承認「一中政策」，即「認知」到中華人民共和國的「一個中國原則」，「了解」到中共方面認定台灣是中國一部分的主張，但美國不承諾支持中共的「一個中國」原則。

這些說法，只是當年簽署中美三個聯合公報時，美國留下來的後手和周旋餘地，可以往前走，也可以往後退，我知道你想甚麼，我可以同意，也可以不同意。

美國多年來都沒有利用這個「後手」來刺痛中共，反倒碰到台灣問題就繞道走，多做少說，戰略模糊。但時至今日，美國終於明白對付中共，經濟金融戰不夠，還要直接痛擊台灣問題這個中共最痛的軟肋。

台灣問題不是中國內政，即美國想做甚麼、想怎麼做都可以，中共跳腳也罷，挑釁也罷，直接動武也罷，美國都不在乎，也做好應對準備。

布林肯這句話驚醒了全世界。多年來全世界都默認台灣問題是中國內政，碰不得，因為美國本身就不想碰。現在美國擺明踩過線，各國少了顧忌，反過來，都要看美國臉色行事了。

布林肯這句話也告訴西方盟國，美中交惡已沒有底線，美國隨時可以出手干涉台灣事務，保護台灣安全，必要時與中共開戰也在所不惜，這對多年受中共欺侮的西方盟國，自然是好事。

布林肯這句話也等於警告中共，美國不承認「一個中國原則」，台灣問題是國際問題，對各國利益至關重要，美國的戰略模糊至此告終，從此以後都是明刀明槍。

布林肯這句話也等於告訴台灣人民，美國視台灣為盟友，以後台灣有事美國也有事。台灣人民大可放心經營好自己，中共膽敢打過台灣海峽，美國絕不會坐視不理。

在中共揚言與俄國結盟，以此為難美國與北約時，布林肯以「台灣問題不是中國內政」這句話還以顏色，就是你做初一我做十五，你敢與普京結盟，我就敢在台灣問題上出格。最近蓬佩奧　言美國應該外交承認台灣，變相鼓勵台灣獨立，布林肯言下之意，便是惹毛了我，我也是沒有底線的。

中共總是拿中美三個聯合公報來說事，可是中共自己簽署了中英聯合聲明，還到聯合國報備，中共卻自己撕毀了。如果美國也將中美聯合公報視為一張廢紙，那不也是明正言順嗎？更不必說，人家一開始就沒有承諾「一個中國」原則。

世界歷史上，國家簽署雙邊或多邊協議，都只是君子協定，前提是彼此是君子，都信守協議，若有小人不守協議，君子有甚麼義務要遵守？歷史上國際協議被撕毀的事多了去了，中共想借中美聯合公報來約束美國，先要把中英聯合報明遵守了再說。

布林肯這句話石破天驚，等於教精習近平，中共想打與俄國結盟的主意，要先把自己的處境想清楚，中共夠膽踏出這一步，那就不只是經濟制裁的問題，台灣問題才是中共的死穴。此後美國與台灣建交，台灣加入聯合國，美國與盟國武裝護衛台灣，這些都是後續動作，布林肯在問習近平：你到底想清楚了沒有？

對布林肯這句話，中共意外地表現低調，外交部都冇聲出。中共不是不知痛，而是不想招惹更多關註，「側側膊」當作沒有聽見，但美國的意思中共還是明白的，所以中俄結盟這件事，近期應該是不會發生的。

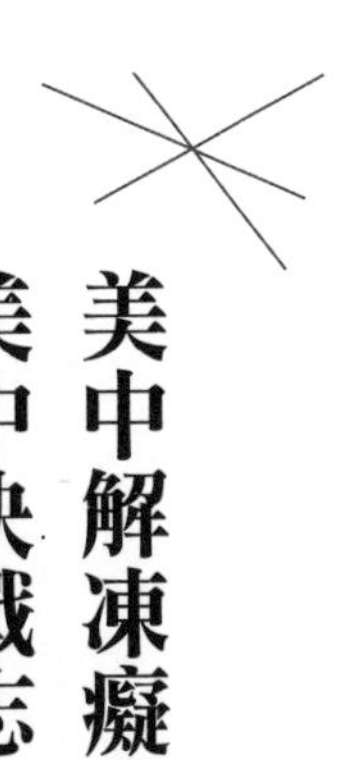

美中解凍癡人說夢，美中決戰志在未來

近期美中關係即將解凍的說法甚囂塵上，原因是布林肯即將訪華。消息沒有得到官方證實，且聽住先。

美中關係冰凍三尺非一日之寒，高層電話聯絡早已中斷，耶倫等高官多次希望訪華，中方置若罔聞；美國防長奧斯汀邀請中國防長李尚福在新加坡見面，中方也不予理睬；早前沙利文與王毅在第三國談了六小時，似乎甚麼都沒有談成，否則兩國關係不至如此。

相反的，中共仍不斷擺臉色給美國看，共機騷擾美機，共艦挑釁美艦，美國肚量大，骨一聲也吞了。美國苦口婆心，三天兩頭好言相勸，說我們來談談吧，不要王不見王，可是中共卻一味端起架子冷眼相向，這不是有點奇怪嗎？

美國現在是可談可不談，談好過不談；中共現在是談也難不談也難，索性不談。

美國可談可不談，因為針對陰乾與圍堵中共，該做的都已做了，以後只是執行與深化的問題。既然在戰略上部署停當，就不必太咄咄逼人，逼狗入窮巷，搞到狗急跳墻反噬一口，反而不美。因此美國三天兩頭曉以大義，就是要中共就範，大家以和為貴。

你都佔盡贏面了，要風得風要雨得雨，你當然可以以和為貴，但作為日日被包圍痛毆難以還手，既看不到未來，內部又隱伏巨大政治經濟危機的中共來說，與你以和為貴，豈不是給你機會削弱我，以便來日更容易被你收拾？

自中美交惡以來，美國不像中共一直在開罵，美國一直在做實事。一兩年時間內，在不同範疇與層面上，逐一實現自己的戰略目標，其結果甚至比美國自己期望的都更理想。

供應鏈去風險比預料的更順暢，現在離開中共，美國已基本沒有後顧之憂；科技封鎖大功告成，高科技晶片從生產到銷售，完全由美國掌控，中共無以染手；外交壓倒態勢史無前例，美國縱橫捭闔，與西方民主國家和亞太中小國家建立各種形式的聯盟，連南太平洋島國都不放過；軍事上東海有美日韓、台海有美日台澳，南海有美菲，有東協國家的聯防，整個半月形包圍圈相當鞏固，如此等等。

美國全方位碾壓中共，戰略佈局大體落實，可進可退，可緊可鬆，可急可緩，完全掌握主動權——形勢空前有利，談談又何妨？反觀中共，短短兩三年形勢大逆轉，外交上強敵環伺，放眼找不到一個像樣的戰友，突然到處都是坑，左右「行不得也哥哥」。解套又無方，出手又不敢，終日自困愁城，抓耳撓腮。

更麻煩的還在於，自己內部的眾多問題相繼「爆雷」，經濟疲不能興，政府囊空如洗；房地產已失救，外貿呈直線下降，失業空前惡化，官民矛盾激化。但更痛苦的還是，政府對所有難題都已束手無策。

明知與美國沒甚麼好談，兩國關係覆水難收，解凍只是太虛幻境，談只是拖時間，中了美方緩兵之計，既如此，索性擺出懶懶閒的姿態，以平衡一下受挫的自尊。

但現實卻是，形勢不饒人，經濟衰社會不穩，眼看一場空前的社會動盪已不可避免，最終將危及統治，因此對中共來說，現階段極需要一點好消息，刺激一下市場與民心，不管是否有實際效用，至少可以緩解一下火燒眉毛的絕境。在這種現實條件下，中共勉為其難，接受布林肯訪華，美中兩國合作演一場戲，那也是有可能的。

美國識做，日前剛宣布同意台積電與三星繼續供應晶片給大陸，當然只是低階晶片，但已經「好有誠意」。

為求對話，美國會不惜給一點現成的甜頭，在烏克蘭大反攻已全面展開的今日，普京失敗已成定局，只要中共不介入，整個歐洲大陸將實現前所未有的統一，然後美國與西方民主國家騰出手來，再慢慢炮製中共，到時再看看中共如何張狂。

至於解凍之說，只要看看參眾兩院議員義憤填膺同仇敵愾的表現，就知道美中之間只會愈凍愈「堅」，因為在美國，不是議會聽政府的，是政府要服從議會。拜登礙壓中共有國會背書，假假地借和談作一點緩衝，談笑用兵，何樂而不為？

美國新的全球戰略正在改變世界

俄烏戰爭爆發以來，美國採取了與先前全然不同的一種戰略，這便是美軍堅持不出兵，全力協助正義國家人民抗擊侵略者，提供最先進的武器與高科技偵察利器，同時配合對敵對國家的經濟制裁與外交圍堵，陰乾對方的國家實力，改變戰場態勢，以此達到美國的戰略目標。

俄國入侵烏克蘭之初，很多評論批評美國與北約不出兵。當初烏克蘭將核武移交給俄國時，美國曾經承諾給予烏克蘭安全保障，現在烏克蘭被侵略，美國不可推卸道義責任。

不要忘記，美國在阿富汗前後打了二十年，美國與北約投入十萬兵力，美軍死亡二千多，傷二萬多，最終這場仗還打輸了，連撤退都搞得狼狽不堪。阿富汗地形不利大兵團作戰，美軍去幫阿富汗打仗，阿富汗人只指望美軍「解放」自己，這種仗顯然吃力不討好。

更早以前，美軍參加韓戰打了三年，傷亡十四萬，參加越戰打了十四年，死亡六萬，受傷三十萬，結果都沒有打贏。韓戰和談，打平而已，越戰輸得很慘，撤退時也狼狽不堪。

美國為維護世界局勢，習慣大包攬，為別人強出頭，結果損失慘重，世界也沒有因此而變得更好，前蘇聯解體也不是打仗打回來的。美國人生命矜貴，國家雖有錢，多年戰爭負擔也把國力淘空了，出兵征服敵對國家終非長遠之計。此所以在特朗普時代，外交政策改為「美國第一」，就是世界的事是世界的，美國的事才是美國自己的。

這一次，烏克蘭面對的是世界第二軍事大國，美軍參戰後果難料。美國人命矜貴，死一個人都是大件事，出兵即是以美國人命去為別人爭取利益，於理不合。再說，美軍去幫別人打，別人索性躺平了，只望美國人去解救他們，這也於理不合。到最後，美軍死傷枕籍，軍費開支沉重，若戰爭還打輸了，要很丟臉地撤軍，這更於理不合。

俄國入侵烏克蘭，抵抗俄軍當然要靠烏克蘭人自己，只有自己才有戰鬥意志，才有拚死作戰的義務。美國採取新的戰略，道義上全力支持，武器裝備上全力資助，情報與信息全力分享，同時以最先進的偵察設備變相在境外參戰。

最近兩架直升機入侵俄國境內，炸毀油庫，如入無人之境，很大可能是美國動用了自己的電子干擾，使俄軍的雷達盲眼。馬斯克曾揚言，他的星鏈計劃可以破解俄國的核彈，這或許不是大話，美國軍事工業之高超，遠遠超乎我們的想像。

早在戰爭發動之前，已有美英北約的軍事專家培訓烏軍，這次大出風頭的肩托式導彈，單兵操作，殺傷力驚人，烏克蘭有恃無恐。美國揚言可以用十支肩托式導彈去對付一輛俄軍坦克，即是全部摧毀俄軍坦克，還用不完導彈。

烏克蘭雖然犧牲慘重，但戰爭是他們保家衛國之必須，只能硬扛，而對美國來說，只憑先進武器，不費一兵一卒，借力打力，穩操勝券，慳水慳力，是為上算。

與此同時，美國因俄烏之戰說服了歐亞各民主國家，形成反對獨裁的同一陣線。美國在經濟與外交上制裁俄國，創造一種模式用以警告中共，日後照辦煮碗，一舉兩得。

因為俄烏之戰，大多數民主國家對中俄威脅感同身受，各國都把擴大國防預算、訂購美式裝備當作未來大國策，紛紛向美國提出武器訂單，德國、日本、澳洲，甚至亞太地區的台灣、印尼、菲律賓都「慷慨解囊」。美國大賣武器，趁機出清存貨，用賺回來的錢研發更先進武器，長遠而言，坐收其利。

台灣親共勢力以「今日烏克蘭明日台灣」嚇唬台灣人，但台灣人從俄烏戰爭中得到啟示，明白對付共軍入侵還是要靠自己，島內正在檢討兵役制，購置更多先進武器，加緊培訓，最近美國又出售愛國者防空系統給台灣。比照烏克蘭模式，台灣人抗擊中共渡海作戰，有天時地利人和之利，更有信心。

俄烏之戰暴露了俄軍外強中乾的弱點，俄軍注重研發戰略性武器，以壯國威，單兵裝備卻停留在上世紀，軍隊貪腐嚴重，士兵戰意乏乏，這些弱點共軍都不相上下，共軍若悍然發動戰爭，其下場也好不到哪裡去。台灣人因俄烏戰爭增加了底氣，美軍直接參戰固然好，不參戰也有決心與信心，最終以時間換取空間。

美國的全新戰略一改從前包辦全球安全的辦法，不必為他人去打仗，又可維護民主國家的安全。有烏克蘭的成功經驗，民主國家更靠攏美國，美國付出代價不大，戰略上大有斬獲，中俄兩個獨裁國家，正感受這種新戰略的苦頭。

拜登雖然老懵懂，但他身邊必有一批精英，對全球戰略有高屋建瓴的眼光。這一套新的全球戰略必將改變世界，這是我們對未來的世界不必太過悲觀的理由。

內循環，外循環，內外難循環

美中交惡後，中共見外部形勢不妙，一度獨沽一味內循環，稍後發現光靠內循環好唔掂，又提出內循環為主、內外循環互促的戰略，最後又調整為內外雙循環的定案。大戰略一改再改，顯示中共面臨當下內外形勢心神不定的窘態。

其實，內外雙循環，說了等於沒有說，有哪一個國家的經濟，不是建立在內外雙循環的基礎之上，有哪一個國家可以只做內循環，或只做外循環？不管你怎麼說，內外雙循環本來就是百年不易之規律。內循環保證人民的生產和生活所需，外循環是進出口大生意，也是國家外匯來源，二者都不可一日無之。

回到內外雙循環，即是回到基本事實，沒有多一點，也沒有少一點。問題不在於哪邊為重哪邊為輕，問題在於有沒有條件有機有效地循環起來。

內循環依賴內部需求，外循環依賴外部需求，有需求則有循環，無需求則無循環，需求大則循環好，需求小則循環難。

當下外部需求低迷，主要原因有二，一是暫時性的，一是結構性的。

瘟疫大流行帶來社會停擺，西方各國疫情反復，事態嚴重，群聚禁令使消費市場處於半死不活的狀態，人民收入大幅減少，支出失預算，指望政府救濟如久旱之望甘霖。近日美國輝瑞公司雖宣佈疫苗研發成功，但專家估計，除美國外其餘國家要等到明年下半年。看來短期影響不可免，長期則唯有天知。

結構性的影響是產業鏈外移。美中關係交惡，美國與西方國家為免依賴中國，紛紛將原材料和關鍵原部件的生產鏈轉移到東南亞和美洲國家，長痛不如短痛，政府甚至出錢補助鼓勵企業搬遷。大規模的企業外移是結構性的變化，日後歐美各國的進口，將很大程度上來自不同國家，而非獨沽一味來自中國。這不是一朝一夕之變，也很難再逆轉，必然沉重打擊中國的對外貿易。

此外，中國的一帶一路，除了地緣政治圖謀之外，也有產能轉移的用心。國內產能過剩，藉助一帶一路的基建項目，消化過剩的產能，但一帶一路相繼受阻，前景不樂觀，因此這部分也不能寄予厚望。

至於內部需求，也處於空前低迷狀態。中國經濟峰值已過，正在下行中，疫情打擊之下，社會長時間大規模停擺，生產生活都走低，人民收入減少，需求自然不振。

多年來投資過旺的惡果逐步顯現，高鐵已飽和，地產市場岌岌可危，外部需求下降導致訂單枯竭工廠停產，失業人口上升。民眾早些年買樓買車，正苦於本利清還的窘境，如再碰上失業和搵工難，更是屋漏兼逢連夜雨，消費需求下降是正常現象。

中共在內外環境壓迫下，面對危機四伏的社會缺乏安全感，更加緊政治控制，就連百姓的文化生活也關卡重重，社會呈窒息之狀。國進民退打擊私企活力，幹部群眾窮於應付政治學習，政府要求節約，作戰爭動員，都沉重打擊民間的消費意慾。政府花費大量公帑作維穩之用，國防開支也勢必大幅提高，導致生產投資和民生解困方面更捉襟見肘，這些都是生產生活面臨低迷的負面因素。

去年天災頻仍，社會事故頻起，糧食收成為歷年之低。國人對前景預期，再沒有往日的樂觀，人人按住荷包不敢大手大腳花錢，也使市場景氣大受打擊。

年來美中關係惡化，香港民眾抗爭，台灣國際地位提升，外部壓力加大，使政府與民間都對未來憂心忡忡。中共為應付台海與南海的危局，不得不做戰爭準備。環境惡劣，高層一籌莫展，政策左右搖擺，基層無所適從。各級官員用大量時間搞政治和維穩，為籌錢渡日所苦，百姓則惶惶然不知來日如何。一方面民族主義趁勢而起，另一方面民心求變，整個社會氣氛詭異。

不管社會現狀如何，內外循環都是存在的，都在進行中，差別只在循環好不好而已。眼下看來，情況都不太妙，拖得越久，越積重難返。綜上所述，還是得問一句：路在何方？

欲平視世界，先平視自己

美中部長會談中，兩國外交官員的表演，充分展示了不同的文化素質。

楊潔篪還在搬弄「中國人受洋人的氣還少嗎」那種陳腔爛調，指責美國人「居高臨下」，斥責美國無權指責北京侵犯人權，說「中國人不吃這一套」。

這番說話引起大陸五毛與小粉紅的歡呼，官媒找出一百二十年前李鴻章與八國聯軍簽署「辛丑條約」的舊照，與美中會談現場照片併列對照，以此挑動民族情緒。新仇舊恨交織，中國人不再受氣，要「平視」美帝國主義了。

那中國人吃哪一套呢?吃美帝跪下那一套?

中共一直將百年國恥視為凝聚民心、煽動民族主義的工具,卻使民族自卑感深入人心。中國人普遍都有一種潛在的被迫害妄想癥,一旦與外國政府發生糾紛,馬上聯想到被人欺負,聯想到帝國主義亡我之心不死,聯想到你死我活的鬥爭。

在被迫害妄想癥背後,卻是另一種心態,那可稱之為「天朝威加海外妄想癥」。中國人因為曾經「闊」過,萬邦來朝,輝煌歲月千年以下被子孫膜拜,中國人永遠緬懷俯視東西方各國、世界唯我獨尊的氣慨。兩種畸型的心態長年併存,互相激化,使中國人與外國打交道永遠糾結難平。

如果美帝亡我之心不死,那在文革後中共搖搖欲墜時,美國人為何不踏上一腳,促使中共垮台?相反的,中共一旦實行改革開放,美國即全力支持,美方接收大量中國留學生,到中國投資,貸款給中國,輸出高新技術,以至協助中共加入聯合國,給予中共最惠國待遇,推動中共加入世貿組織等等,拯中共於水火之中。沒有美國的協助,中共會不會有今日,或會不會在短時間內振衰起疲,那都是一個問題。此所以鄧小平說：「凡是和美國搞好關係的國家都富了」，又說「美中關係好起來才行」。

當其時，為何不說「不吃洋人那一套」？

一百二十年前與八國聯軍簽下辛丑條約（事件起因是義和團濫殺外國人），中國付出的戰爭賠款，美國政府分文不取，全數用來幫助中國建醫院和學校。國共兩黨爭天下時，美國主張國共隔江而治，談判建立民主制度。美國若乘中國之危落井下石，今日中國不會是這樣。

楊潔篪說這些話之前，有沒有反省過中共對待美國的所作所為？美國幫中共脫貧，中共卻恩將仇報，強迫技術轉移，竊取科技情報，在美國搞統戰和文化滲透；中共收買中小國家，削弱美國在國際組織中的影響力，又利用金錢外交在中南美洲挖美國墻腳，甚至以種種手段影響美國國內的政治生態。

歷屆美國總統長期容忍中共，甚至八九六四後，美國也慢慢修復兩國之間的正常關係，直至搞到今日地步——美國受中共的氣還少嗎？今日若美國拍案而起，那也是中共咎由自取。

香港人百年接受英國管治，香港不但沒有成為人間地獄，甚且在英國人管理下，把香港建成中國國土上唯一的自由樂土。香港人沒有被迫害妄想癥，也沒有天朝威加海外妄想癥，香港人心態很平衡，與世界各國政府和人民都能平等相處。

中國百年受辱，習慣仰視西方列強，今日強大了，就想要享受俯視他國的榮耀，這就是「受迫害妄想癥」與「天朝威加海外妄想癥」的綜合病癥。中國人要先治好自己的心理病，才可以和世界各國講平等，才可以作為一個體面的強國，立於世界民族之林。

世上只有符合人性的制度才能長久，普世價值符合人性，代表歷史發展的趨勢。中共特色的社會主義，帶給中國人的卻是嚴重的貧富懸殊，是苛政猛於虎，是人類文明的倒退。楊潔篪煽起的民族主義亢奮，只會加重中國人的心理疾患。

中國要平視世界，不能靠錢，也不能靠武力，要靠平常人的平常心。

輯四

人生因緣

與余英時先生的一段文字因緣

天下紛擾、人心徬徨之際，突傳來余英時先生溘然辭世的消息。乍聞之下，心頭壅塞，恍若霧海夜航，殞滅了北斗一星——風波險惡，指點迷津的人沒有了。

九十一歲高齡，可稱高壽，夢中撒手，是人生一大幸事，對余先生來說，最好的結局無過於此。余先生一生深研歷史，對現實政治只有「遙遠的興趣」，國事蜩螗、民心思變之際，他飄然別去，恰是一種灑脫的姿勢，彷彿說：人間雖多事，恕我不能作陪了。

近日陸續讀到一些懷念余先生的文章，我沒有那麼幸運，從未親炙過余先生的風采，但在約十年前，我因為編輯余先生的散文集，和汪精衛的《雙照樓詩詞藁》，和余先生結了一番文字因緣。現在余先生不在了，我應該把前後的文字接觸公諸於眾，讓更多人對余先生有更深入的了解。

上世紀九〇年代，我與劉紹銘和鄭樹森兩位教授時常見面，向他們討教文化出版方面的事。我自己來港後零散讀到汪精衛的詩詞，為之傾倒，和兩位教授談起來，彼此引為同道。當時我們就商定，一定要邀請到余英時教授為汪的作品寫一篇序，余先生是歷史學家，又是詩詞家，只有他有資格為汪精衛詩詞蓋棺論定，沒有余先生的序，書就寧肯不出。

當年香港還基本有出版自由，放在今日，大概成事的機會就很渺茫了，今日連一本童話都成了禁書，出版大漢奸的詩詞集，想都不用想。

先是，上海華東師大陳子善教授有一次來香港，見面時我也提到這件事，陳教授當時身兼華東師大圖書館館長，他回上海後，就把整本的《雙照樓詩詞藁》影印寄來給我。拜讀之下，更覺得不重版這本集子，是中國文化的一大損失。

當年劉教授為天地圖書主編「當代散文典藏」，他後來主張幫余先生編一本散文集，我當然十分贊成。我也零星拜讀過余先生發表的散文和文化評論，深知他文章的文化歷史深度和可讀性。現在回頭看，若無劉教授的這番提議，便沒有後來與余先生的接觸，也就沒有《雙照樓詩詞藁》這部重版書了，世事之奇妙，就在這種因果的衍化和轉折之中。當下就由劉教授直接與余先生聯絡，余先生很快就俯允，其後在編輯過程中，我就開始和他聯絡。

余先生的散文集後來以《情懷中國》為書名出版了。余先生文章溫柔敦厚，舉重若輕，懷人述事皆出於真性情，字裡行間閃現智慧靈光，書一出版就受到中港台以及海外讀者的歡迎。

大陸的廣西師範大學出版社看到《情懷中國》，很想出一個內地版，可惜書中一些政治敏感內容需作特別處理，余先生聞訊後一口回絕。他寫傳真告訴我，說：「我早已知道此書不可能在大陸面世，而且也從未有出大陸版的念頭，只因先生當時以此見詢，我不便拒絕而已。現在正好告一結束，其他探問之大陸出版機構都因未見我書內容才表示興趣的，此後請即答以我不想出大陸版，免得浪費先生時間精力也。」余先生特地在「我不想出大陸版」幾個字旁邊打了圈圈，以示重要。

初時，我還不敢貿然提出汪集序言的事。余先生公私兩忙，我與他算初識，貿然提出請求不免強人所難，一旦他回絕了，事情就無可挽回，於是盡量往下拖。直至他的散文集出來後，我才正式寫一份傳真，提起我們有出版汪精衛的《雙照樓詩詞藁》的想法，希望得到他的支持，為重版這部詩詞集寫一篇序言。

世事之有趣，往往就在成敗得失之際，突然「一天光晒」。傳真發出後內心忐忑，患得患失，沒想到余先生很爽快答應了，只說他因為太忙，恐怕要給他一點時間。我連忙又回覆，說時間不限，字數不拘。在我想來，只要余先生俯允，即使片言隻語，也一定會為整本詩詞集增光。

那封傳真寫於二〇一一年一月十六日，他寫道：「先生願我為雙照樓詩詞稿寫序，甚感雅意。我從來喜歡汪氏詩詞，對他落葉詞一闋，尤為擊節，今已久不見此集矣。

先生欲出註釋本，此意甚好，我當勉寫一短序以當介紹。至於『漢奸』一事，我與先生所見相同，不當與其文學造詣混為一談也。」

從那時開始，到他把長序寫成傳真給我，已是二〇一二年二月六日，其間我從未催促他。他年紀大了，精力有限，案頭不知有多少待辦的事，為汪氏詩詞集寫序，雖政治敏感可放一邊，但其間斟酌取捨，還是很費精神的，因此一直耐心等候。

這期間鄭樹森教授從台灣替我找來葉嘉瑩教授在台灣主講汪精衛詩詞的一隻影碟，我看了影碟，又生起請葉嘉瑩教授為全書作註釋的想法。經一番聯絡，葉教授以年紀太大精力不足為由婉拒了，不過就推薦她的學生汪夢川博士來做註釋，她可以為全書做一次審訂。我想起在葉教授授課影碟上，她朗誦一位「友人」讀汪詩的四首七律，因為詩寫得很好，當時我還把它們筆錄了下來，回頭一查，寫詩的人就是汪夢川。

主意既定，我即將請汪夢川作註釋、葉嘉瑩審訂和寫序的事向余先生報告，順便把汪夢川四首詩抄給余先生，以便讓他對做註釋的人放心。余先生讀了汪博士的四首七律，果然也非常讚賞，當下就敲定了汪夢川做註釋，葉教授作全書審訂，並寫另一篇序。

沒有鄭樹森教授替我找來葉嘉瑩教授的影碟，未必想到請葉嘉瑩作註釋，沒有找到葉嘉瑩，未必認識汪夢川博士，找不到汪夢川，不知要為註釋的事拖延多久。而這一切，都因為余先生答應了寫序，而使事情進展更順暢。

在稍後另一次傳真中，余先生婉拒了簽署合約的提議，也拒絕事成之後的版稅分成，他說，葉汪兩位工作量大，應收版稅，「我僅寫一序何能與汪葉二先生同簽版稅之約，此古人所謂『取之傷廉』絕不可為者也。」，又說「此序算是我贈先生及天地圖書，結一場文字因緣，豈不甚美？」他還提到，他為學報寫學術論文也從不收酬，「此是通例」。「我希望先生接受我這一點誠意，此事到此為止。」

至此萬事齊備，只等余先生的序。

二〇一一年二月二十一日，余先生寫傳真來，說他手頭沒有雙照樓詩詞稿印本，讓我寄一份影印給他，「先生能否寄贈一份，以便隨時誦讀，為寫序作一點準備否？費神之處，先此致謝。」他要為我們重版的汪氏詩詞集寫序，完全是無償付出，需要看一下原作版本，竟然還要向我致謝。余先生老派人，如此禮貌和客氣，令我想起來，為自己向來待人的輕慢而羞愧。

在等候序言期間，余先生多次寫傳真來交代進度，一再為序言延誤道歉。二〇一一年六月二十日，余先生寫信告知收到《雙照樓詩詞　》影印件，並說「最近尚有緊急事須處理，暫時還不能寫『序』，一俟稍閒，必定趕成，大約不能寫得太長，想先生必能理解。先此佈覆，以免懸念。」

二〇一一年十月十九日，他寫傳真來道謝天地寄給他的羅孚傳記，順便提到「汪詩序正在醞釀中，不久必有以報命，乞釋懷。」

二〇一一年十一月十九日，他覆傳真說收到汪夢川的「後記」，說「弟因近日正在趕寫更早應允之文，尚未完卷。弟近兩月已遍讀有關文獻，如《周佛海日記》、《胡適日記》等有關之記載，也想寫一短文，發揮汪之真實心境，肯定其動機，而惋惜其判斷之誤，並願以其人與其詩合併而觀，以顯示此一二十世紀上半葉之深刻悲劇也。弟思緒甚繁，但無時間寫長文，只求在短序道出梗概而已。先此佈覆，以寬先生之心。」

以余先生之輩份，對我一陌生小子自稱「弟」，還稱我為「先生」，我收到傳真後真感無地自容。答應寫序已是天大面子，還要不停交代進度，解釋遷延的原因，再三道歉，以「寬先生之心」，余先生之體貼，實在令人受不起啊！

二〇一二年一月十一日，傳真劈頭就說「十分慚愧」：

久已答應的序尚未交卷，但在我而言，實在是萬不得已。去年十二月間我本決定必須完成汪氏詩詞集之序，卻不料中間插進許多限時交卷的文債，又出於幾十年舊交，不能不答應（如為董橋兄七十歲文集寫的詩之類），只有將對我最寬容的人（如吾兄）所囑之事，往後推了下去，實在愧對吾兄也。好在昨天我已開始將與汪詩有關資料鋪在書桌上，準備動手寫序了，今天便收到吾兄來信，可謂甚巧。我估計五至七日之內必可完成，脫稿後即傳真與吾兄，請放心。我一向的習慣是在動筆前，將所有重要資料先讀一遍，胸有成竹再下筆。今已開始閱讀，明後日可畢，然後寫序言，想尊處當可再等待一周左右，先此草覆，以釋尊念。

為安慰千里之外一個素未謀面的編輯，余先生不厭其煩，交代他為寫序所作的準備，生怕對方不放心，這真是紆尊降貴到「不合情理」的地步，余先生之為人，實有其不尋常之處。

余先生對自己的承諾如此認真，這真是我近四十年編輯生涯中僅有的遭遇。余先生學養無人可及，但待人禮貌周周，處事一絲不苟，永遠謙抑自牧，他的人品與修養仰之彌高，永遠不可企及。

我永遠記得收到序文的那一天。上班剛到公司，桌上已放著傳真，提醒我稍後會將序文傳來，我隔一陣就去傳真機那裡查看，終於等到第一張紙傳出來，心中既驚又喜。本來以為只是短序，誰知傳真機吐紙不停，那時已不能用驚喜來形容了，只覺眼前一切有如夢境。最後收齊全文，數一數竟有二十八張紙之多，約略算一下，估計全文超過一萬字。當其時，有種千辛萬苦爬山，上到山頂喘息初定，眼前一馬平川，放眼無盡山水，頓覺豁然開朗、心曠神怡的感覺。

關於全書的編排，我也曾把自己的一些想法向他報告，徵求他的意見，余先生回覆我說：

序文如何安排在西方完全是編輯人的專門權責，作者無權過問。所以先生如何安頓，請全權作主，弟決無異議，也不能有所主張。為了使先生得到充分的編輯自由和自主，弟衹誠懇表示以下的態度：拙文或作「序二」或作「後記」（可改為讀後），放在全書之末，弟絕對樂於接受，並無半點介意，務乞先生放心，千萬勿有任何顧忌，以致發生編輯工作上的為難之感。

讀到這些文字，既感動又好笑。為這本書，從起意算起，總有十年八載，等了一年多，才等來余先生的序，還要是大大出乎盼望的一篇長序，不但評汪的詩詞，還對汪的政治生涯作一番體貼入微的論述，如此重要的文章，豈有理由當作「序二」或「後記」來處理？真是「好難哦」！說一句笑話，真做了這樣的處理，我豈不給萬千讀者罵死？

余先生的序文，把重點放在剖析汪精衛的人格和心態上。汪氏本意是國民黨若勉強抗日，只是幫了蘇聯與中共，故努力說服蔣介石與日本談判。因蔣不為所動，遂直接與日本接觸，成立南京政府。余先生分析其間複雜矛盾、進退維谷的心態，與他誤判形勢、造成歷史悲劇的心理基礎。關於汪精衛的詩詞造詣，他強調汪注重抒發山河破碎、國勢頹唐之下的壓抑和悲苦，也受個性中的「烈士」心態所影響。序文舉重若輕，提供給讀者一個重新認識抗戰歷史的角度，以及領略汪精衛詩詞的門徑。

中國現代歷史中，領袖人物工詩詞的，當數毛澤東與汪精衛。毛是豪放一路，桀傲雄奇，翻江倒海，汪是婉約一路，傷春悲秋，感時憂世，兩人個性不同，詩詞風格各走極端，恰恰又代表了中國古典詩詞兩派的流風。毛雄才大略，打江山坐江山，汪猶疑徬徨，終成悲劇角色，但若從對中國人民造成的傷害來看，毛血債深重，汪的身世則令人同情。

《雙照樓詩詞藁》重版書進入編輯製作階段，那時我很想把余先生的序文先在報刊上發表一下，一則序文本身是極好的文章，二則也為新書做一點宣傳。恰好有一次，在港大的龍應台沙龍碰到董橋先生，閒談中我提到余先生的序，說可惜太長，不然應該發表一下。董先生想都不想，就說「只要是余先生的稿，多長我都要」。次日我即將序文稿影印寄給董橋先生，不幾日，蘋果日報用兩大版的空前篇幅，一口氣全文刊出余先生的序。

一份高度市場化的暢銷報紙，竟然一次過發表一萬多字的文史長文，對於普通讀者來說，無疑相當「趕客」。這只有董橋先生才可以，也足以體現余先生的文化影響力。

至此，重版《雙照樓詩詞藳》這件事，基本上功德圓滿。

新書預計在當年夏天印出來，正好趕上香港書展。事先，我與書展策劃作家講座的《亞洲周刊》聯絡，想看看有沒有機會邀請余先生來參加書展，一則讓余先生回「老家」看看，二則也讓他見見大陸和台港的讀者，作一演講。余先生年紀大了，長途跋涉太辛苦，我希望主辦機構提供一張頭等機票，減輕余先生旅途的勞累。書展方幾經奔走，解決了機票問題，我即寫傳真正式向余先生提出邀請。

可惜余先生婉拒了，年紀太大，醫生勸阻作長途旅行。我不想放棄這個機會，又與書展方商量，希望再提供一張頭等機票，讓余太太一路陪同，方便照顧，有余太太隨行，余先生應該更寬心。可惜等第二張頭等機票再解決，余先生還是婉拒了，他有更多私下的考慮，余先生再寫傳真向主辦機構道謝，之後向我解釋：

我自覺過於受到學衛文化界關注，名遠過於實，決不應再出現於公共空間，剩下一點精力，若能讀未經眼之書，偶然有所述作，或尚可有所貢獻。倘仍為中年時期之種種公開活動，與相識或不相識者交往頻繁，則必至不再能吸取新知，徒然浪費無多之來日而已。我近來閉戶不出，即出此一認識，非僅限於香港書展一事也，乞鑑而諒之。

因為這樣，香港與兩岸讀者便失去一次親炙余先生風采的機會，我也失去一次當面聆教的緣份了。

余先生仙逝，對中國甚至世界的學術文化界是一無可彌補的損失，也使我們在正邪交戰的世道上，突有一腳踏空的失落感。香港在火坑裡，台灣在火山旁，中國在懸崖邊上，世界在荊棘途中，人類在十字路口，正當我們最需要精神指引的關頭，我們失去了余先生。

余先生雖然不在了，但他的精神永在，他的人格光輝將繼續照亮我們前行的路，讓我們永遠懷念他，永遠遵照他的教誨去行事和做人。余先生一生都是專制的敵人，他雖然對政治只保留「遙遠的興趣」，極少參與現實政治，但他的道德勇氣，潔身自愛擇善固執的精神，他的睿智與人格光輝，正是我們理想之寄托、力量之源泉、信心之所在。

「死去元知萬事空，但悲不見九州同。王師北定中原日，家祭無忘告乃翁。」我相信，有一日我們會手執鮮花，到余先生墓前，灑一杯酒，告訴他香港回到香港人手上的好消息。

林行止封筆：一個時代落幕了！

「香江第一健筆」林行止先生宣佈封筆，此事引起廣泛討論。看到他的「遲來的道別」，不免愀然不樂，這是一個時代的結束，香港此後，再難有客觀、公正、持平的時事評論。敢言的人還會有，但在一張有影響力的大報，以嚴密的思維邏輯和紮實的論證功夫來為政治時事把脈的高手，從此在香港將無緣得見。

林先生的時評之所以影響深遠，在於他具有別人不容易有的國際視野和財經學養，他有數十年觀察國際政治與分析中國國情的豐富經驗，更有對香港歷史的親身體驗，更有殖民地時代與回歸後特區管治作參照對比的足夠的資歷。

林先生的時評之所以吸引讀者，也在於他永遠抱持客觀、理性與持平的態度，抱持公共知識分子關心國計民生的出發點。他從不故作驚人之語，不走極端，不譁眾取寵，有碗話碗，有碟話碟，讀他的文章，不論你是否被說服，你永遠都不必擔心被誤導，他說服你固然好，不能的話，也提供給你另類的思考角度和思考依據。

林先生更可貴的是，他居然從創建信報的第一天起，堅持了四十八年零二十七天，雖不是每天見報，有如此的恒心與耐力非常人可及。他大半生堅持站在民間立場，關心時局與民生，批判當道，維護普世價值，光是這一點精神，就不負「香江第一健筆」的美譽。

有些讀者對林先生的文章不以為然，他的個別觀點也不能取悅所有人，但林先生對香港的貢獻，不是他有沒有聲色俱厲地譴責獨裁統治，不是他有沒有站在香港人抗爭的最前線，而是他代表了香港百年的基本價值觀，代表社會正氣，代表香港人整體的利益訴求，代表了香港獨特的文化傳承。

上世紀七〇年代末我來香港，還是一個從紅衛兵和知青大摧殘中倖存下來的遊兵散勇，滿身心共產主義洗腦殘餘。記得到新光戲院看中越戰爭紀錄片，看到解放軍攻入諒山，還看得熱淚盈眶。當年在晶報做校對，上班手閒時就瀏覽香港報紙，對我思想影響最深的，包括查良鏞、林行止、羅孚、李怡這些前輩，他們為我啟蒙，使我開竅。剛開始我是生吞活剝，慢慢浸淫之下，常識粗通，打碎舊有的自我，慢慢扶植新的自我，然後就像餓漢一樣狂吞各種現代知識，自己融會貫通，然後才有今日的我。

我讀林先生的文章，他的理論架構令人仰之彌高，有時半通不通，但我總是勉強自己把那些文章讀下去，所謂「弱水三千只取一瓢飲」，哪怕一星半點的啟發，都珍之寶之，算是給自己荒蕪的內心澆一點水，然後龜裂的土地慢慢滋潤，養份慢慢多，從那裡就有新生命生根發芽。

有時「啃」他的財經專論的確很辛苦，但從完全不得要領，到慢慢能「掂到」他的真知灼見，那個過程卻充滿了冒險的樂趣。好像入了寶山，一時迷途，一時慌不擇路，一時又柳暗花明。我沒有機會受過正規的理論訓練，一切都是土法上馬，將勤補拙，就是這樣，幾十年追隨林先生，終於對自己安身立命的城市和自己身處的時代有一點心得。

因為喜歡他的文章，我請劉紹銘教授主編「當代散文典藏」時，第一本書就是請林先生賜稿。當時有一位大陸著名學者譏笑我們，說「林行止那些文章怎麼能算是散文」。在他看來，散文只有抒情的一路，沒有說理的一路，古今中外散文中精采的說理散文不知凡幾。事實證明，林先生的散文別有機杼，處處埋伏他的專業知識和人生智慧，是開啟民智的珍品。林先生的文集《閒在心上》出版後，短期內銷售超過一萬冊，在當年的香港，創造了一個出版奇跡。

林先生宣佈封筆，固然是香港以至中國報業的一大損失，但所謂「天下無不散之宴席」，在當前香港的政治環境之下，也是無可奈何的事。更多令人不安不快的事都發生了，林先生的封筆，只是另一件讓我們放不下、令我們無限低迴和感慨的事而已，但對他自己，卻不失為晚年一個明智的選擇。

有人推測林先生的封筆是被迫的，我猜未必如此。當初信報賣盤時，買方勢必將保留林先生的評論作為交易條件之一，在林先生一方，也希望盡自己所能為特區建言，因此保留林行止時評，應該是買賣雙方都肯可的條件。林先生的文章貴在客觀公正持平，雖然對中共和特區政府時有批評，但都言之成理，以今日香港民心之背向而言，他的言論與「顛覆和分裂國家」風馬牛不相及，因此，把他的封筆推論為中共的封殺，可能言過其實。

林先生的「遲來的道別」提到「這是筆者健康條件尚可，在大環境仍有選擇自由之下作出的自由選擇」，這句話便是要消除讀者的疑慮，以他的地位，大概還不必在這種事情上作違心之言。因此，我寧願相信，在當前的政治環境之下，正常的時事評論已事無可為，不論美中之間、中港之間，事態都在惡劣下去，惡劣到甚麼地步沒有人知道，而不同政治力量之較量，都正在失去理性，世界正在醞釀一個大災禍。面對這樣的局面，文人的筆顯得蒼白乏力，世事之無望令人意興闌珊，與其繼續「饒舌」，不如就此封筆，落得清靜，以自由自在之身，應對不倫不類之世。

林先生一介書生，創辦一份影響廣泛的報紙，在中港台和海外華人社會建立卓著的聲譽，他以一支健筆指點江山，影響世道人心，他的歷史地位已無懸念。更難得的是，他一生堅持知識分子的清正立場，與現實政治保持「遙遠的興趣」（余英時教授語），沒有陷於政治泥沼，落入千古話柄，這是他比金庸更有智慧的地方，也是他更令人敬仰之處。

林先生對我有知遇之恩，對我的工作和寫作都曾給予大力支持，他是我的啟蒙者，也是亦師亦友的前輩。人生在世，能遭遇幾個在學識和人品上都精采過人的人，那是自己的幸運，我只是遺憾沒有機會和他有更深入的交往。謹以此文，恭賀林先生封筆，祝他身體健康，閒逸放達，自得其樂，好好享受真正的退休生活，相信未來某時某地，我們仍有機會見面談天。

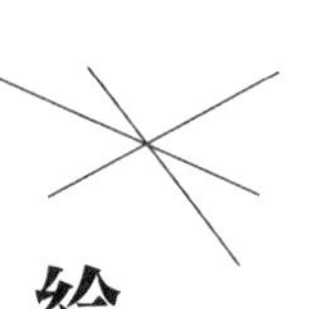

給黎智英先生的一封信

黎智英先生：

我很想叫你一聲肥佬黎，但我們的交情還沒有熟悉到這一步，以「先生」稱呼，雖有點見外，但也包含了我對你的敬意。

我和你同齡，我們都已年過古稀，我們一樣都在大陸生活過，也一樣來到香港，經營自己的人生。雖然我們走的是不同的人生道路，但在香港生死存亡的時刻，我們一起走過一段風雨同舟的日子，我為此深感榮幸。

二十四日夜，我和數百萬香港人一起，陪伴蘋果日報渡過最後的一夜。我看到壹傳媒大廈外那些徹夜守護的香港人，看到旺角報攤繞過幾個街口的人龍，我也看到報館內情緒激昂的蘋果員工，和陳沛敏等幾位堅守到最後的高層。

網上有一組照片，其中一幅是果籽編輯部數十同仁的臨別合影，還有五位女記者編輯的合照，她們都戴著口罩，但都露出清澈、堅毅和泰然的眼神，我心裡想，這真是美麗的香港人。他們是你的下屬，你的同事，你有他們，是你的幸運，他們有你，也是他們的幸運。

蘋果日報終於完成了她的歷史使命，歷史把你放在一個特殊的崗位上。歷史召喚你，在香港這個方生方死的時刻，注定要有你這樣的人，帶領這麼一支隊伍，把香港人的心聲，香港人追求自由民主的意志，昭告全世界。

蘋果日報最大的功績，便是把中共專制統治的真面目，在世界各國人民面前徹底揭露。自此以後，中共被推到全世界正義的對立面，他們成了世界公敵，成了歷史罪人，而你和蘋果日報，便成了香港人集體意志和理想的代言人。中共消滅了蘋果日報，中共付出不可估量的政治代價，蘋果日報被消滅了，但蘋果和你，佔有了至高無上的道德位置。

就在執筆的此刻，消息傳來，美國總統拜登親自就中共打壓蘋果日報發表了公開聲明。拜登的聲明當然只是道義上的支持，但在美國歷史上，我相信這是唯一一個美國總統，為別國的一份報紙仗義執言。這也證明，蘋果日報已經不只是屬於香港，她已經是全世界追求民主與自由的人民心目中的一面旗幟。

你受苦了，在這樣的炎夏，以你的高齡，以你身為富豪的優渥的生活條件，本不該去承受如此的身心折磨，但你在道義和利益的三叉路口，選擇了艱難的路來走，證明你有過人的意志力、過人的信念和過人的犧牲精神，對此我自愧不如，我對你的人格五體投地。我只是一個求道者，而你是循道者，我們的道德水平有如此差異。

近年來我向年輕人學了不少，他們很善於用自己的語言去表達自己的心聲，比如「我哋真係好撚鍾意香港」，比如「美好的仗我們打過了」，又比如「我們會在煲底相見」。這些簡單直接而生活化的語言，深深打動我蒼老疲憊的心，也給我意外年輕的力量。

去年四月，你親自打電話向我約稿，從那時起我為蘋果日報寫了一年餘的專欄和社論，之前我曾用筆名顧鴻飛向李怡主編的論壇版投稿。我對自己晚年有機會和你打過這些仗，為我們鍾意的香港盡過幾分力，我深感自己的生命被賦予新的意義，謝謝你給我這個機會。

現在你和張劍虹、羅偉光、李平等幾位還身陷囹圄，承受身心痛苦，還不知甚麼時候才能重獲自由，而你親手創辦的蘋果日報也走到盡頭，世界好像很晦暗，但我相信你們對未來沒有失去信心，看看蘋果最後一夜香港人的表現，便知道人心永遠站在你們這一邊。中共好起來，香港人一定衰，中共衰下去，香港人一定好，我們抽離一點來看，就看到中共正在衰下去的這個不可逆轉的趨勢。

讓我們在午夜的黑暗中瞻望黎明，讓我們多一點耐心等待歷史的轉化。我不能說甚麼安慰的話來減輕你們的痛苦，我只想說，香港人會等你們出來，我也會等你出來。你在和我通電話時，曾說過以後有機會來溫哥華「探」我，我期待這一日，不管是你來也好，我回去也好，我們總會再聚首暢談，我們會有無窮盡的共同語言。

苦夏難捱，望善自珍重。魯迅說過一句話，說他每日吃藥，保養身體，就是要為「他們的世界」留下一點不美好。「君視民如草芥，民視君如寇仇」，我現在也是這樣的心態，我們要活得好好的，好好活下去，我們要親眼看到中共的末日。

謹此並致以一個遙遠朋友的衷心問候。

顏純鈎

二〇二一年六月二十五日

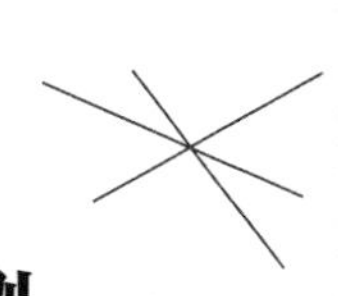

一簑煙雨任平生——劉紹銘教授的文品與人品

劉教授離開我們了，這對我個人來說，是生命黃昏中的一個創痛。我視他為亦師亦友的知交，並未得他的認可；很早以前，我也曾打算退休後去跟他讀一個學位，終因世事變遷而徒托空言。人生不如意事常八九，從此也只有把惆悵與哀傷獨自咀嚼了。

人生一路都是緣，沒有舒非女士的介紹，我不會認識劉教授，沒有劉教授，我也不會認識更多文化界精英，我也不會在寫作與出版行業內踐行自己的理想。人的一生充滿必然性與偶然性，人與不同人的互動構成他的人生軌跡，每個人的命運都一定程度上決定於他與甚麼人成為朋友。

我與劉教授的交往，也一樣規定了我的部分人生。

未認識劉教授之前，我已拜讀他的文章，我之仰慕他，是先從仰慕他的文品開始的。他在課堂上授課，當然不免要講文學思潮和文學理論，但他的文章，以我讀過的範圍來說，幾乎每一篇都是精彩的散文。他從不寫捧場文章，每下筆必言之有物，不但有自己的思想與體會，還儘量有別致的角度、尖新的意念，他注重文氣的行雲流水，也善於作細節的經營。

他不只一次對我說，他讀文章最看重的是文字，文字不好的，讀幾行就放下了，我受他影響，也養成這種習慣。一篇文章文字造作彆扭，呆滯平板，作者的才氣已經很有限，再加上內涵空洞，思想貧乏，那就更不值得花費精力了。也是受他影響，慢慢我就明白一篇好文章應該包含理趣、情趣與文趣，三者缺一不可。劉教授能把每一篇文學評論都寫成一篇分花拂柳曲徑通幽的散文，那是要有一種化繁為簡、以雅入俗的本事。從平凡中見神奇，於無聲處聽驚雷，深山密林別有洞天，尋常巷陌紅杏出牆，那都是以深厚學養與人生智慧為基礎，數十年磨煉出來的功夫。

劉教授評論文學作品，除了注意成名作家的作品之外，也時常為文學界發掘有潛質的新人，他讀到新人的好文章，經常都有一種驚喜交集的興奮。以教授之地位，以文壇前輩的資格，對初踏足文學殿堂的新人如此愛惜，不遺餘力為文推薦，大聲疾呼，我相信不少今日享譽海內外的作家，都受過他的提攜。

他對社會人生溫厚中有一種冷峻的眼色，往往在文章中冷不防會來一句譏誚的反話，或者來一點苦澀的自嘲，那可能是他經歷少年時代的清苦，切身體會複雜生活情味衍生出來的本色。那種冷誚的筆調經常都提神醒腦，令人會心一笑，回味良久。

一個人的文品，正是他人品的寫照。正如他的文章，劉教授為人清正，鄙夷油滑輕浮之輩，有一些場合，他的上司和社會名人在場，他也照例見大人而藐之，顧左右而言他。反而小輩來了，他有時還會故意開一兩句玩笑，活潑氣氛，以減少別人的拘謹，顯示大家平起平坐。

他為人重在一個「實」字，不尚花巧浮滑，不求前呼後擁，做學問實實在在，寫文章實實在在，做人也實實在在。因為他「實」，朋友與他來往也「實」，彼此實心實意，省去很多曲折心思。他從不當面讚我，我也從不花言巧語奉承他，我們來往很簡單，唔得閒各自忙，得閒相約飲茶，有事商量，一句起兩句止，無事也很少通電話東家長西家短。

劉教授在學界有廣泛影響，他來往的前輩同輩中很多都是我們望之彌高的大學問家，但他從來不在我們面前顯耀，甚至夏濟安、夏志清兩位恩師，他都很少提及。他是台灣現代文學思潮的主將，但他也從未提及當年披荊斬棘的往事。有一年《信報》周年紀念酒會，他約我一起去，到了酒會現場，見到林在山小姐，打一個招呼，閒聊兩句，都還沒見到林行止先生和夫人，就回頭對我說：「我們走吧！」

《信報》酒會滿場官商，衣香鬢影，劉教授視為畏途，反倒林行止先生約見文化界朋友私下吃飯，每次都高談闊論盡興而歸。劉教授不樂衷於交際，我在這方面也「懶懶閒」，我們在這一點上「臭味相投」。

劉教授為人也重在一個「情」字，他對老師有情，對同學有情，對朋友有情，對心愛的人有情，地老天荒，唯情永在。近年他得到香港中文大學出版社的支持，為自己的恩師夏濟安和夏志清重新再版了一套叢書，夏濟安的《黑暗的閘門》出版後，他特地請中大出版社給我寄了樣書，還打電話來囑我寫一篇文章推薦。我本無評介學術著作的學養，收到書後也認真讀了，對中國現代文學長了不少見識，於是寫了一篇文章推薦，投給馬家輝的《明報》世紀版發表。

劉教授有一點也跟我相似，便是我們在人際關係上都有點笨拙，或許他不是笨拙，而是性情使然。有一次林文月教授應邀來香港出席活動，劉教授約我一起到機楊接機，接了林文月，三個人坐的士回市區。的士出了機場，後座兩位教授一言不發，我回頭看，卻發現劉教授正閉目養神，旁邊的林文月教授正沉悶得有點彆扭。

我與林文月教授是初次見面，彼此之間沒有話題，當下大窘，只好勉為其難，以「今天天氣哈哈哈」打發時間。事後我也沒有問劉教授是怎麼回事，按理，兩位是老相識多年未見，一定有不少話題，為何如此見外？如果見面如此艱難，又何必親自到機場接機？

後來讀到董橋先生文章，才知道林文月是當年台大學生共同的偶像，劉教授會不會因為多年未見的偶像突然現身，而且坐在身旁，一時有點不知所措呢？那就不知道了。據傳林文月教授曾到訪劉教授家，親嚐他調製的雞尾酒，按理不是一般交情。只是劉教授情性深處，可能有一點自重得過份的古板，如何與林文月這樣的佳人教授打交道，竟是一件不容易對付的事情了。想及這些，只覺教授也是常人一個，有他可笑復可愛的書生氣。

一個人從清貧無依的孩子，成長為海內外知名的教授，其間嚐盡人間百味，沒有被生活打倒，反過來造福人間無數，這樣的人，可稱為實現了自我價值的人。人之成敗榮辱，各有前因後果，一個人老老實實做事，端端正正做人，到頭來，不管世道如何險惡，他都可以最大限度地接近自己應該達到的人生高度，這就夠了。

劉教授有一本散文集，書名叫《煙雨平生》，那正是他一生行藏的寫照，回首向來蕭瑟處，一簑煙雨任平生。歲月匆匆，人世茫茫，與劉教授二、三十年交往，雖然平平無奇，卻覺一路花雨繽紛，道不盡人間情味，今日雖與他永別，但他的音容笑貌，將長留心間。

我與司徒老師互相勉慰，說我們只有更好地活著，不矯揉造作，也不取巧阿世，才對得起劉教授對我們的厚愛與寄望，僅以此，與各位懷念劉教授的朋友共勉。

仰天大笑出門去——戴天二三事

先是舒非一個手機短訊，短短幾個字觸目驚心：「聽說戴天去世了」。一時頭皮發麻，趕緊和太太說。後來向幾位香港朋友打聽，都無法證實。再後來，想起和戴天最後一次見面時，提到陳韻文小姐在多倫多和他經常來往，便找何良懋要來陳韻文的電話，打去問清楚。

其實我手機裡早有陳韻文的電話，人一亂起來就容易犯糊涂。

陳韻文告知戴天真的走了。當日早上八點多她還去療養院陪戴天，待到傍晚六點多才離開，戴天一整天狀態都很好，頭腦清醒，反應敏捷，還會開玩笑。陳韻文回家後，十點多接到療養院電話，說正在送戴天去醫院急救，原因是突然低血糖。因為一陣低血糖，就這樣與人間了斷，倒也非常省事，符合戴天的性格。時間到了，撣一撣衣袖，呵呵一笑，冉冉起身，羽化而登仙，做人如此瀟灑，真是幾生修來。

那天陳韻文說起，戴天在多倫多也會提起我，說是他一句話促成了我移民加拿大，我突然悲從中來，一時老淚縱橫。多年來，我一直心存感恩，他對我有知遇之恩，更對我有點撥命運之恩，我無以回報，只是時常感念，連我太太都幾十年唸叨，說不知怎樣感謝戴天。

我和戴天在甚麼環境下初識，已經記不起來了。那年頭香港文化界很熱鬧，三天兩頭都有活動，可能在酒會上，也可能在某個飯局。當年初到貴境，每天都在惶惑中，英語不懂，廣東話麻麻地，一個中學畢業老紅衛兵，與光怪陸離的現代都市格格不入，正不知如何自處，見到生人退避三舍，見到名人更手足無措，如此戴天就走進我生命中。

戴天於我，總是有突如其來的刺激。有一次白先勇來，作聯在合和中心開會，請白先勇演講，當年戴天和左派作家關係很好，請來戴天主持。輪到發問環節，戴天說他認識的人不多，但看到一個高個子，就點名讓我來提問題。我怎會料到有此榮幸，腦袋麻木，也不知問了甚麼問題，也不知白先勇作了怎樣的回答。事後作聯裡的文友，都覺得我不知去哪裡搞來的關係，居然還讓戴天點名了。

我當時也不知道，只好相信自己個子高，目標太大。

又一次，作聯受邀到深圳訪問，除了會員，還有也斯葉德輝等人，竟然戴天也來了。車到酒店，工作人員分配房間，先問戴天，你和誰一間房？戴天想都不想，就說我和顏純鈎一間。我又嚇了一跳，我和戴天，遠未到同房間過夜的交情啊！心裡忐忑，不知道晚上怎麼和他相處，彼此差距很大，有甚麼話好說？

那晚吃過飯，大概也感覺別扭，就沒有回房間去，倒是到也斯房間去聊了很久。回到房間，戴天即抱怨，你去哪裡了，我等了你一個晚上，我心裡納悶，不知道他等我做甚麼。後來入寢，戴天完全沒有睡意，就是和我聊天，聊甚麼也忘記了，只是突然之間提起他和太太感情不太好。我一聽又懵了，彼此還算陌生人，怎麼一上來就把夫妻感情向我和盤托出？

兩件事都讓我受寵若驚，原因直到多年後才明白，說起來，還要多謝古蒼梧兄。當年《八方》雙月刊復刊，古蒼梧向我約稿，我寫了一個短篇給他，編輯部覺得不太理想，古兄打電話來，很為難地向我說明，我說沒關係，我看看能不能再寫一篇給你。

也是合該有緣，居然靈感幫忙，就寫了《天讉》給他。古兄收到投稿後大喜過望，當期就用了，後來據說反映還不錯。有一次，戴天在他專欄中寫出來，說「古仔」和他提起這件事，他沒有開我的名，但我知道說的是我。在他筆下，這個顏某人居然不擺架子，被人退稿還心服口服，繼續投稿，人品看起來還不壞。

戴天高估了我，我當時怎顧得了人品？初窺文壇堂奧，戰戰兢兢，只怕人家不要我，哪裡敢自矜身價——登稿是幸運，退稿是合理。我初時登小說在博益月刊，黃仲鳴批評我，我說他說得也有道理，古劍把我的反應告訴黃仲鳴，後來我和黃仲鳴也成了朋友。有時候壞事會變成好事，本來是自卑，結果倒博得別人好感。

八九六四後，有一天在飯局上碰到戴天，見面就問，最近在寫甚麼？我說寫了一個短篇，以六四為背景，本來給明報月刊，但他們不用。戴天即向在座的潘耀明說：顏純鈎的小說你都不用？老潘有點尷尬，就說是下面的編輯退的稿。

那晚回家即收到戴天電話，叫我把稿子給他，他要寄給台灣的瘂弦。隔兩天，電話又來，說瘂弦看了稿子，說寫得很好，聯合報副刊會用。戴天幫朋友，就是這樣熱心，好像不經意，但手揮目送，談笑之間就把事情辦了。

我平常忙於搵食，很少到外面周旋，戴天有自己的名人圈子，沒事也不找我，我們見面都在一些公開場合。大概九五年，天地得到藝展局資助，要主辦第一屆長篇小說創作獎。籌劃辦獎細節時，我就擬定戴天、劉以鬯、鄭樹森、黃繼持、黃子平五位決選評判，當時並沒有把握能請到這些名家。但我第一個打電話給戴天，戴天竟不假思索滿口答應，後來我再聯絡以下幾位，說起戴天應承了，人人都樂於相助。

戴天和人說，他已十幾年不做評判，這次是「俾面顏純鈎」，我聽了又一驚，原來顏純鈎竟「有面俾」？其實來來去去，也不過就是《八方》約稿那件事，因為自卑，竟博得面子，這也是人生奇遇之一。

為小說獎開了一個記者招待會，來的記者很多，我把戴天也請來了。戴天穿一身黑色樽領恤衫，外面是格子西裝，那是我數十年看他穿得最正式的一次。他穿起西服，嘴裡叼著煙斗，一頭灰白半鬈髮，冷冷地掃視周遭，還真有點名詩人的派頭。席間他說了話，突然很正經，與他平時凡事不上心、四兩撥千斤的詼諧風格大不同，也讓我看到他認真的一面。

小說獎按時間表進行，那時我已在做動身去加拿大的準備，戴天知道我的起程日子，和我商量把決選日子提前，以便我離港之前可以參加頒獎禮。後來七搞八搞，頒獎體果然趕在我離港前舉行，這件事雖不大，卻足見他體貼朋友的細微心思。

我從加拿大回流後，又申請到藝展局一筆資助，和古劍、舒非三個人合編《文學世紀》，刊名還是黃子平兄賜予的。當時又運用老關係，請戴天、鄭樹森、黃繼持、黃子平等人擔任顧問，說是顧問，多數都是顧而不問，只是光寵門面而已，不過戴天卻有一次「干涉編務」。那是高行健得獎後不久，我們做了一個專輯，因中共打壓，越發想「煲大佢」，於是又和劉再復再做了一個專訪，專門談高行健的創作。有一天戴天見到我，莫名其妙說一句：「顏純鈎，高行健啲嘢做夠了啩？」

我聽了一楞，想不通來龍去脈，但戴天如此提點，當然是有理由的，自此我們就不再做高行健。後來我才從側面摸到一點門道，當時有人趁高行健得獎，借捧高行健抬高自己，戴天向來看不慣沽名釣譽之徒，因此有此「干涉」。

戴天住在北角炮台山光超台，那是信報林行止提供給他的宿舍。他每半年回加拿大一次，其間遙控主編《信報月刊》，每月照支人工，指揮若定，天底下有這樣當主編的？足見林行止不但倚重他，也充分信任他。

因為他住在北角，我也住北角，我們每約吃飯，都在炮台山地鐵站對面的上海老飯店。戴天總是抱怨老飯店的蔥油餅蔥放得太少，他說有一次自己帶一把蔥來，交代廚房多放蔥，結果做得蔥油餅出來，還是沒有蔥味。

有一次我約一位大陸學者和他吃飯，他本來應承了，臨時卻沒有出現，以他的為人，從不曾這樣。後來我和那個學者接觸多了，領教他的為人，這才明白戴天當日失約是有理由的，道不同不相為謀，這大概是他行走江湖的準則。

也是在老飯店，有一晚我和孫立川和他吃飯，那時九七逼近，人人都在找後路，戴天問我有甚麼打算。我說太太怕共產黨，本來想移民去台灣，於是帶家人到台灣走了一趟。當時台灣還比較亂，電單車在人行道上穿行，過馬路沒有人管紅綠燈，太太孩子都不喜歡，已準備作罷。

戴天問有沒有考慮加拿大，我說我沒有甚麼條件去啊，既沒有親戚，也沒有錢。戴天問，有一層樓嗎？我說有，他問還了銀行還能剩多少錢？我說二百萬左右。戴天隨口說：那夠了，一半去投資，一半去生活。

那晚三個人聊到半夜，戴天自己帶酒來，已喝得腳步不穩，我和孫立川送他回光超台。半夜三點多回家，把太太從夢中叫醒，說戴天提議我們可以移民加拿大，去不去？我太太睡眼惺忪，迷迷糊糊，想都不想，就說「去」！

太太娘家幾個伯伯姑媽，都是印尼華僑，臨解放寄了錢買地，準備起屋，結果土改一來，把他們家評為地主。幾十年下來，她祖母都是地主婆，八九十歲人，動不動給抓去，一雙小腳顫巍巍站在高台上挨鬥爭。她父親是大陸雕塑家劉開渠的學生，曾經和劉開渠雕過蔣介石的像，運動來了就倒霉。文革中父親給工作組抓去關，她和母親半夜三更，生火煲一鍋水，把潘天壽的畫和弘一法師書法都燒了，她父親回家來捶胸頓足。

太太第六感很靈，剛結婚就叫我要申請來香港，這一次不管三七二十一，就是要逃離香港，也是第六感作怪。共產黨要來了，有多遠就跑多遠，只是不想把孩子留下來給共產黨糟塌。

我做人安土重遷，處理日常瑣事更不耐煩，想到辦申請那種事，頭已先痛起來，但這一次，因為戴天鼓動，竟也狠下心。第二天即打電話給戴天，戴天即介紹移民律師劉天均給我，此後奔走幾個月，又遠涉重洋去紐約見移民官。碰巧紐約大風雪，事先約好的翻譯沒來，我叫從英國趕來會合的兒子要充當翻譯，兒子未見過世面，當場臉發白。也就那樣，磕磕碰碰，十個月後，竟拿到簽證。

當初劉天均問我去哪個城市，我也是一時衝動，就說去溫哥華，大概感覺溫哥華名字好聽一點。後來戴天問起，我說溫哥華，他還有點失望。要是早一點徵求他的意見，他可能會勸我去多倫多，如果聽他的話，後來我女兒在那裡讀大學，就會方便很多，但多倫多冬天極冷，我的風濕關節炎是否受得了，那又難說了。人生得與失，本來就不受控，只好跟著感覺走，走到哪裡算哪裡。

戴天最後一次回香港，逢人便說他這次是「告別之旅」，不諱言他與大家沒有下一次見面的機會了。他幾乎每天都有飲宴，文化界朋友輪流請他吃飯，他也趁機辦理一些家事。離開香港後要去台灣，他說要給兩個姐姐每人六十萬港幣，因為「告別之旅」，就把一些後事順便辦了。

有一天林行止在福臨門請吃飯，記得有劉紹銘、董橋夫婦、鄭樹森、小思和黃子程。午飯後我送戴天回酒店，本來想送到樓下讓他回去休息，誰知戴天又拉我上樓，在他房間裡聊天。我生怕他太累，幾次起身告辭，又都被他留著，一直談到傍晚六點多。中間也不知說甚麼，他又突然又殺我一個措手不及，說是外面的人亂傳，他沒有甚麼情人，倒是一夜情搞了兩三次。

今日回想起來，彷彿還看到他那副老天真的樣子。做人要有多坦蕩，才能像他這樣事無不可對人言？我們這種人，一年到頭唯恐不夠道德高尚，每個人都有幾個面具輪著用，到頭來，我們都活得太累。只有戴天，每天嘻嘻哈哈，該說甚麼說甚麼，該做甚麼做甚麼，事情剛上心，馬上就放下了，水過無痕。

那次我也約了舒非和馮偉才，和戴天在蘇浙同鄉會吃了一次飯。戴天一坐下來就說，他這次回來，在蘇浙已經吃了十幾餐，說得我們都大笑，誰叫他有那麼多朋友？席間大概談起共產黨，我例牌發牢騷，戴天好像不怎麼認同，我看彼此想法有距離，就沒有深入談下去。

很早以前，有一次孫述憲召飯，好像有黃子程薛興國等人，戴天也來了，一坐下來就對我說：顏純鈎，馬克思主義也不是全都錯的，係唔係？我隨口答道：係啊，剩餘價值理論就是對的。一時大家都靜了，以為我對馬克思主義很有研究，其實剩餘價值理論我在大陸讀中學時就學過了。當代有理論家批判，說工廠主花大錢投資，又搞技術更新，他們賺錢是合理的，所以剩餘價值之說不成立。雖然如此，老闆終究把工人生產的價值拿走了大部分，這也是事實，否則為何是他們發達？

我們那一代，文革後就懷疑剩餘價值理論，不是理論有問題，是社會主義制度有問題。財產公有制原意是把社會財富集中後，再重新分配給工人，但實際上在社會主義之下，工人並沒有拿到應得的那一份。國家成了全國唯一的僱主，工人創造的剩餘價值全給國家拿走了，拿去搞政治，支援世界革命，並沒有回饋到工人身上，所以工人還是窮，甚至比資本主義還要窮，證明剩餘價值理論，即使在社會主義體制下，也是不能成立的。

可惜和戴天多次私下聊天，沒有機會深入談一下這些問題。我思疑他受新馬克思主義的影響，因為對資本主義失望，反過來看重馬克思主義的某些理念。他終究沒有在大陸生活過，不了解真實的社會主義是甚麼回事。不過他對中共迫害知識分子那些事，還是有強烈是非感，這從他的文章，和與大陸自由派人士交往的過程都可以看出來。

他愛中國，不愛共產黨，他愛馬克思主義，不愛社會主義，此中有分別，可惜不能追他回來再問清楚了。

戴天走了，我也夕陽西下，沒有無限好，只有近黃昏。一個人活到八十六歲，一生豐富多姿，該見的見了，該做的也做了，該吃該玩的都吃過玩過，像戴天這樣，灑脫地揮一揮手，仰天大笑出門去，那也真令人羨慕。人生一場，悲欣交集，好的來就享受，壞的來就忍受，人生之好玩，不是你享了多少福，而是你遇上甚麼人。遇上精采的人，你的生命就豐富多姿，一輩子與庸碌搗鬼的人打交道，那才是歲華虛渡。

僅以此文，草草不工，追念敬愛的戴天先生。若有來生，我們就再互相尋找，找到了，就再結一次緣。

理想主義者李怡自我實現的一生——讀《失敗者回憶錄》想起的

感謝李怡家人安排，輾轉收到台灣印刻出版社出版的李怡遺著《失敗者回憶錄》。聽說出版過程經歷一些波折，幸而還是順利面世，感謝印刻總編輯老朋友初安民的不懈努力。這本書分上下兩冊，是近年難得一見有價值的回憶錄。李怡採取的是一種散點透視的寫作方法，大體依時間順序，選擇影響其一生的重大時刻，或詳或略，介紹其中涉及的人物與事件，並重新審視自己的立場與態度。這是一本極富寫作誠意的回憶錄，在近年港台兩地出版界屬罕見之作。

翻閱本書，發覺很多文章我都沒有讀過，雖然在蘋果連載時，有碰上都不放過，但還是錯過不少內容。現在有書在手，應該認真讀一次，對了解李怡本人，以及他跌宕豐富的一生，一定大有幫助。

《失敗者回憶錄》有難得的思想價值、歷史價值與文化價值。李怡通過這本書，不但細數他一生行藏，而且論述不同時期的社會思潮、個人的思想成長、香港與大陸的思想理論變遷，讀這本書，對半世紀以來兩岸三地的思想嬗變會有更深切的了解。

李怡一生經歷，涵蓋了香港以及海峽兩岸數十年的政治巨變，這個大歷史的脈絡，都可以從他個人起伏的經歷中折射出來，他的歷史就是整個國族歷史的縮影。《失敗者回憶錄》中涉及的歷史事件，大多是他親身經歷，有切身體會，又有深刻反思的，如此全面、深入、複雜的經歷，在香港人當中也不多見。

李怡一生追求普世精神文明，他接觸大量西方典籍，對社會主義理論以及當代學術成就都有涉獵，因此他的回憶錄浸透了個人的文化情懷，以及與時代精神密切互動的思考成果。他關心兩岸三地的文化現象，透徹了解不同時代的文化精粹，讀他的書，有助我們深入了解半個世紀以來兩岸三地的文化變遷，以及在激蕩的政治風潮中不同地域的文化成果。

我與李怡雖然相識多年，理論上又曾是上下級（在我退休前，他一直是天地圖書董事），但彼此私交並不多。他的一些著作由我經手，但互相交談僅限於工作，以及國內外大勢，很少涉及個人生活，因此我對他的了解並不深入。相信看完這本書，對李怡的人生觀與價值觀，對他的人格特質，會有更深切的認識。僅限於目前的認知，我以為李怡至少在以下幾個方面，都值得後人取法。

李怡是十足的理想主義者，他一生都在追逐自己的理想，雖然他的理想一再發生變化，但那些變化都是基於他對現實認知的改變，基於追求真善美的終極關懷。在社會激烈變遷、價值顛覆的時代，這種理想主義更難能可貴。

年輕時他追求社會主義，踏入中年與社會主義決裂，服膺民主自由的普世價值，自此矢志不渝。他的後半生，又經歷了從大中國情懷轉入香港本土意識的思想變化，維護香港價值、追求香港自治，這又成為他另一個理想，他又為這個理想奮不顧身。他是一個理想主義的實踐者，每逢面臨政治轉折，他都服從自己的理想。

李怡一生堅持自我，從不因名利地位而改變。他在順風順水時高揚個性，在逆境時又從不妥協，面臨巨大政治與環境壓力時，他站穩個人的道義立場，不肯屈膝而事權貴，這是他人格的主軸。當他在左派圈子內蒸蒸日上時，他為堅持自我而放棄一切，當他在民主派中享有崇高地位時，他又不惜與主流民主派分道揚鑣。永遠不惜放棄一切而堅持自我，雖千萬人吾往矣，這也是他異於常人的地方。

李怡的特立獨行，建立在堅忍的性格、面對壓力時過人的勇氣與智慧，也建立在他有足夠的自信，善於與複雜環境周旋的靈活手腕。當他孤立時，他另闢蹊徑廣開言路，吸納不同社會階層的精英，壯大自己的思想隊伍。他沒有因為壓力而倒下，反而借助時代風潮而一步步壯大自己，這也是值得年輕人效法的。

李怡學歷不高，一生靠自學充實自己，憑藉廣博的學識和廣闊的視野，來堅守和實現自我，如此完成了豐富而　實的一生。每個閱讀《失敗者回憶錄》的年輕人，都可以從中得益。

陶傑在他為本書所寫的序言中說：「其時代之雲天壯闊，人事之湖海險奇，足為香港史不為人所知的珍鑑」，可謂一語中的。

人是他一生所有選擇的總和——略談李怡一生可議的兩件事

長時間以來，李怡都被人懷疑是中共間諜，在他的回憶錄裡，他也多次提及曾經為中共調查部搜集台灣與海外文化人的動向，為此曾得到中共安全部門的肯定。他的妻女以「調幹」（幹部調動）名義移居香港，妻子經安排在左派出版社工作，住家也由左派分配。

李怡提到他的直接領導者藍真，藍真之上是香港中共調查部負責人潘靜安，李怡曾被安排訪問北京，並接受中共中央調查部部長羅青長的接見。羅青長是周恩來的秘書，掌管中共秘密情報工作，李怡有此待遇，證明當時他受到重用。這些都是事實，李怡直認不諱。

當他在左派圈子內，從事中共交付的工作，這在當年的政治環境下，是經常發生的事。中共搞秘密工作經驗豐富，隊伍龐大，不同界別不同層次都有大量潛伏人員在長期不間斷做工作，相信李怡只是在編雜誌之餘，隨時匯報一點他認為中共會有興趣的文化界動態。這些動態可能對中共的統戰工作有用，也有可能對具體的人造成某種傷害，這都是在中共體制內發生的，李怡既然在這個體制內，這種事情基本上不可避免。

據天地圖書董事長陳松齡親口告知，他在《七十年代》工作時，也曾為安全部門向海外人士寫過策反信。

至於《七十年代》與中共決裂後，李怡仍多次往返大陸，有人懷疑他是中共派遣的臥底，借主編《七十年代》來搜集台港與海外文化界的情報，這一點便缺乏說服力。

說中共為搜集情報，與李怡合演一齣苦肉計，表面雙方決裂，背後是給李怡提供一個平台，方便遊走於港台海外文化圈，這在情理上說不通。李怡借《七十年代》接觸海內外文化人，能取得多少有實質價值的情報？最多也就是文化界某些重要人物的動向，他們舉辦的活動，他們與美英和國民黨的聯繫等等，這些情報對中共的價值，只屬一般性質，起不了甚麼關鍵性的作用。

比起《七十年代》在海外知識界的影響，比起李怡辦這份雜誌對香港民主運動的推動作用，比起這份雜誌對包括我在內的數十萬大陸新移民的啟蒙，與對香港抗爭青年的感化作用，那些所謂情報的價值，只是邊緣性的，無關大局的，只是九牛一毛。

既然李怡辦《七十年代》，對中共根本利益有巨大傷害，相反的，李怡借辦雜誌的身分掩護去做情報搜集，所得又屬雞毛蒜皮，二者不但不能對衝，甚至是蝕本買賣，你以為中共會蠢到如此交關？

李怡大半生與兩岸三地文化人廣泛互動，與眾多知名反共學者與活動家有深入交往，若他是中共特務，也不可能不造成明顯的傷害。我們沒有證據證明存在這些傷害，因此說李怡是中共特務，乃是無中生有。

李怡是中共特務這個污名，會不會是中共自己放出來的呢？大膽假設，這種可能性是存在的，要傷害李怡，沒有比這個污名更好用的了。在人格上謀殺敵人，這是中共慣用的手法，比如污衊許章潤召妓，或在海外民運圈子內製造流言，破壞團結，這都是不需要任何成本的好買賣。除非我們掌握確鑿證據，否則對散佈這種流言的人，要提高警惕。

我與李怡沒有私交，來往僅僅限於吃飯閒聊，無權議論他的為人處世，除了不認同他的某些具體觀點之外，唯有那次他被指控抄襲，有損他的正面形象。

那次抄襲事件，就我看到的文本，李怡實在很難擺脫這個污名，令人費解的是，李怡為甚麼要這樣做？以他的文筆與思想，要寫同樣的文章，可說不費吹灰之力，與其抄，不如自己寫，為何李怡要出此下策？

更不該的是，事件被揭露出來，他非但沒有認錯，還振振有詞。我忘記他提出甚麼理由來為自己辯護，不管甚麼理由，都不可能令一次抄襲合理化。問題不是以甚麼理由抄襲，問題是有沒有抄襲，有抄襲就是錯的，沒有任何理由可以讓抄襲成為理直氣壯的事。

有人說揭露他抄襲的人為人不堪，這也不是為抄襲辯護的理由，錯的就是錯，與誰揭露無關。一個壞人揭露一件壞事，那件事不會變成好事，這是很簡單的情理。

沒有人明白李怡做這件事的動機，或許是一種不良習慣，或許在他文藝青年時代，這種大規模「引用」他人文章（沒有註明出處），不算是一種不名譽的行為。不管如何，這也算是李怡這個不平凡的好人身上，一個不名譽的行為。正如一個人走路，走一走就拐了一腳那樣，他把自己的一生走完了，留下一個不那麼好看的腳印。

讀《失敗者回憶錄》，不時看到一些熟悉的名字，我與其中一些人也有過交往，以後再隨時作一點回應。不管如何，讀這本書，足以了解李怡，也了解這個變動不居的時代。

陳太有功於香港無愧於心

近日陳方安生女士宣佈退出政治工作，她發表簡短聲明，公開自己的選擇，這是對香港社會負責任的表現。

筆者無條件支持陳太的決定，她的聲明雖然簡單，但合情合理，筆者和眾多香港市民一樣，對此事樂觀其成。

一個八十歲的老人，勞碌一生，又剛剛經歷喪女之痛，身心疲累之餘，正應該爭取有限時日，好好安排自己晚年的日子，與家人有更多共處的時間，做一點未做而又不能不做的事。任何人在她的處境，都有理由這樣做。

筆者想跟陳太說，你為香港和香港人所做的事，已經足夠多了，是時候放下肩上重擔，回到日常生活，保養身體，涵養精神，平心靜氣過日子。香港有七百萬人，每個人都應該付起自己的責任，本來就不應該把政治重擔放到你肩上。年輕人血氣方剛，中年人經驗豐富，他們的勇氣與智慧都足以應對世道變遷。事關幾代人的福祉，應該由他們去面對自己的命運，去為自己和子孫爭取更美好的未來。你應該放下社會重責，回歸私人空間，頤養天年。

陳方安生女士為香港奔波勞碌了一生，前半生作為政府官員，為打造香港這個國際大都會盡自己的心力。其間經歷香港最豐盛的好日子，又經歷政權交接之際的種種風波。在她擔任政務司長期內，明顯感受到來自北方的中共政治文化的侵擾，她在個人事業最高峰時急流勇退，表現了一個有獨立意志和自由精神的現代人的風骨，這已經足以作為所有公務員的楷模。

陳太退休後仍關心香港，參與不同的社會事務，支持香港人維護香港傳統價值的社會活動，甚至身先士卒，以民選議員的身分進入立法會，監督政府施政。直至近年，她成立民間研究機構，為「一國兩制」把脈，並四出奔波，伸張香港市民的政治訴求。作為一個傑出的香港女性，她的生命已經足夠豐盛，她已經不負此生。

時至今日，陳太累了，因喪女之痛難以自持，眼看香港政治每況愈下，她心力不濟，意興闌珊，如果她選擇退出，這都是正常人的正常反應。每個人都是凡人，誰都不必也不應做超乎自己承受能力的事，香港不需要偉人，也不需要烈士，香港需要的，只是每個人永生不渝的對香港的愛。

筆者希望陳太退出江湖後，除了好好安排自己的生活之外，如有可能，不妨抽出一些時間撰寫自己的回憶錄。她在港英時代踏入仕途，又在特區政府任主管官員，親身接觸過不少英國與中共高官，對中外不同的政治文化有深刻了解，又諳熟官場來龍去脈、人事變遷，這些寶貴的個人經歷，都應該存留下來，供後代參考。

陳太的家庭背景，既有軍政素養，又有藝術氛圍，她秉承中西文化交融薰陶，既有政治歷練，又有人生智慧，如能以個人一生的經歷，總結為人處世的經驗，對於後代香港年輕人，也必是一筆寶貴的精神財富。

陳太大學修讀文學，自己本有足夠能力執筆，但如精力不濟，需找人代筆，也一定有後輩樂於效命。如需要物色執筆人選，建議她徵詢一下劉紹銘、盧瑋鑾、鄭樹森三位教授，他們對香港文學界有深入了解，不少學生後輩都是精英，可以提供人選讓陳太參考。

世事大變，香港風雨飄搖，來日大難，陳太與七百萬香港人仍會守望相助，雖然退出政治工作，相信她的心還會牽掛香港市民。不管如何，陳方安生女士已經在香港歷史上留下她的足跡，人生在世，毀譽不足論，不求留芳百世，但求無愧於心。

揮手自茲去，人間欲忘言——黃永玉先生在他創造的藝文世界裡永生

黃永玉先生仙逝了，遺言交代，不取回骨灰，且作肥料，也不讓親友舉行任何追悼活動，這貫徹了他悠然來去的一生：揮手自茲去，人間欲忘言。

我與永玉先生有過一些很有限的交往，彼此年齡有點差距，社會活動的圈子不同，因此沒有機會成為他親近的朋友，但在我心目中，他一直是我崇敬的當代藝術家。

未識永玉先生前，我就拜讀他不少散文，每每傾倒於他那種佻脫別致的風格。他不自詡為作家，也不追逐文名，這使他的文章完全擺脫五四以來中國散文的路數，筆

隨心轉觸類旁通，看到甚麼寫甚麼，下筆不落俗套。憑著敏銳刁鑽的觀察和活靈活現的描繪本事，他寫人寫事，都有一種鮮活的人間情味，那是很多知名作家都做不到的。

有一次讀到他描繪老朋友黃苗子夫人郁風女士的文字，短短一兩百字，如遊龍蜿蜒，出神入化，寫活了郁風的性格和作派，真是能人所不能，當堂正襟危坐起來，覺得這一枝筆真是如有神助。正因這樣，當天地圖書出版「當代散文典藏」時，我就向劉教授推薦永玉先生。初時劉教授有點猶豫，但他看過文章後，也衷心讚賞不已。

有一晚永玉先生約劉教授和我到他半山家裡，我們大概談了一些出版合同和編輯工作上的配合，初次見面都有點生份，劉教授和我都不善言談，印象中也就公事公辦了。

稿子交來，書也順利出版了，當時永玉先生的文名還不如他的畫名那麼顯赫，大陸那麼多散文大家，我們竟然只選中永玉先生，現在想來，也不得不感歎人生因緣的奇妙。

書出版後，銷路不算理想，這也是預料中事，我們一直沒有再見面，慢慢也就相忘於江湖。直至有一年，他在香港開畫展，我約了古劍和舒非一起去捧場，現場衣香鬢影，永玉先生靜靜站在入門處迎接來賓，我們和他拍了照片，寒喧幾句，就去看畫了。

多年後，公司幾個同事到北京參加書展，利用書展空檔，我們到京郊萬荷堂永玉先生的家裡去拜訪。那天他帶我們參觀他的大屋和庭園，中午叫了北京烤鴨外賣，隨便閒聊，只記得他那一副悠閒放逸的神態，令人覺得做人做到這個境界，可以無憾了。

我退休後，有一次中華書局送了一本永玉先生的散文集《沿著塞納河到翡冷翠》。書印得很漂亮，很多他的素描作品作插圖，寫的又是他在意大利居住和創作的生活，因此一讀就放不下。讀完後覺得有一些心得，就以「風生水起的文字精靈」為題，寫了一篇讀後感。

文章發表後不久，我就離開香港了。一九年初，突然有永玉先生家人聯絡我，說有一封信要轉給我。再後來，信收到了，拆開一看當場呆住：信封裡不但有永玉先生的親筆信，還有他的一幅贈畫。

信上說，得知我是泉州人，他青少年時代是得到泉州老友之誼成長的，說很多泉州大街和小角落都叫得出名字，可惜前幾年回去一次，除開元寺內部偶有面熟處之外，「多顯出淒涼的面生」。

他交代我如有去北京，「盼能得到通知，以便暢談」，又說他也有回港小住的設想，望能成真。

那幅國畫畫的是一個四方遊士，粗服亂髮，鬍髭賁張，衣褶紛飛，手上提著一壺酒，醉態可掬的樣子，題曰：「除卻供書沽酒外，更無一事擾公卿」。

這一份天外飛來的禮物令我不知如何是好，一則無功不受祿，二則我與他的交情，也還不到這個份上。想來想去，大概和我那篇讀後感有點關係，但其間輕重，也真是無法衡量。

我鄭重寫了信去道謝。因為生性懶散，也因為對身外物的怠慢，我平生沒有收藏的習慣，那幅畫與信都只能留作永久的紀念，而永玉先生和我的北京與香港見面之約，也終究化作一縷清風。

永玉先生的畫作一向也是我所喜愛，他的畫永遠別出機杼，有一點中國民間藝術的來歷，又有西洋畫的構圖與素描功底，富於中國傳統智慧，又不缺現代意識，有時帶一點社會底層的「抵死」，有時又富於士大夫的精神高標，有時玩世，有時厭世，有時嘲諷，有時自嘲。

我印象中，永玉先生很少畫傳統中國的山水畫，那種被中國歷代畫家畫濫了的雲山浩渺空洞無物的大潑彩，他好像不太熱衷。他畫小風景，畫小物件小動物小人物，他似乎也沒有畫過偉大領袖工農兵之類的革命宣傳畫，他就是衷情於自己那個美麗小世界，在那裡徜徉了一生。

永玉先生自小闖蕩江湖，歷盡滄桑，他到老一直保持著一種俯瞰人間的姿態。他善於將苦難轉化為調笑，為生活的酸澀賦予美感，雖然見慣政治的黑暗和世俗的不堪，但仍然保持一種灑脫周旋的本領，這使他比別人活得更好，活得更長久。

永玉先生只接受很少的正規教育，他的成就全來自自學，這樹立了一個典範，即一個人只要不荒廢自己的天賦，好學不倦，博採眾長，用全部心力去做一件事，他最終也能實現自我，不負一生。

在他玩世不恭的外表下，潛藏了一顆謙恭自牧、悲憫眾生的愛心，這是所有觀賞永玉先生畫作與美文的讀者不可不知的，這是他謎一樣精采一生的根本。

有的人奢望留名千古，有的人賣力建功立業以享子孫，像永玉先生那樣，一生兢兢業業，追求自己的美感世界，不慕名而得名，不求利而得利，那才是世間高人，他將永遠活在自己創造的美妙的藝文世界裡。

悼念一位朋友、一種人生、一座城市、一個時代——古蒼梧

小思老師越洋告知，老朋友古蒼梧過世了，享年七十六歲。

年輕朋友可能不太認識古蒼梧，他原名古兆申，是香港著名作家和詩人，一生從事文學創作與活動，發表過大量新詩、散文、評論、翻譯等，也曾參與和主編過文學與文化雜誌《盤古》、《八方》、《文化焦點》、《明報月刊》等。他曾受邀到美國愛荷華國際作家工作坊訪學，也曾留學法國主修哲學和法國文學。

古蒼梧一生為香港文學與文化貢獻自己的心力，留下自己的足跡，是值得後人永遠懷念的香港文化前輩。

我與古先生認識應該超過三十年，雖然平常各有各忙，但互相關心敬重，君子之交淡如水，也深知彼此的為人，正是足以引為知己者。當年他主編純文學雜誌《八方》時，曾約我寫小說，初時我寫了一篇，他和編委不太滿意，古先生打電話給我說明情況，很為難抱歉，我說沒關係，我再試寫一篇，再給你看看。

後來我寫了短篇《天譴》，題材敏感，涉及新移民的亂倫關係，也抱著會被退稿的心態，誰知他很喜歡，當期就發表了。雜誌推出後，古蒼梧和戴天說到這件事，大概都覺得某人為人還不錯，從此給戴天留下不壞的印象，造就多年來與戴天的交往。

再後來，因為戴天的提醒和幫忙，我與家人在九七前移民溫哥華，說起來，我一家的命運與戴天有關，而細溯其中因果，也與古蒼梧有關。

我們只在一些文學活動場合見面。有一次中華文化促進中心寫作班結業，中心請我去和學員談小說創作，古蒼梧那天也來了，座談會後他和我們去喝咖啡，算是談得最深入的一次。

除了文學，古蒼梧也鍾情崑劇，不但自己有研究，也參與崑曲藝術的推廣。白先勇來香港講崑劇，很多時是古蒼梧做主持。他自己好像也吹洞簫，已經不是業餘愛好那麼簡單。

古蒼梧做過不同的工作，似乎時間都不長，後來好像與文化圈處於若即若離的狀態，好多年都沒有他的消息（也可能我消息閉塞）。有一段時間聽說他病了，印象中是鼻咽癌，做了手術後幸虧無恙，然後就失去聯繫了。

我與他最後一次見面，大概也是在一個活動中，他消瘦蒼老，衣著雖然整齊，但顯得陳舊，門牙掉了也沒有補。他說住在柴灣的公屋，風景很好，天晴的日子去行山，非常賞心悅目。生活環境似乎不太理想，但他安貧樂道。

那些年的香港，生活著很多像古蒼梧這樣的文化人，他們有一種「通病」，就是都屬於「無可救藥的理想主義者」。他們追求生活與藝術的純粹的美，享受來自不同領域的美感經驗，他們為一種信念活著，就是人除了物質生活之外，更重要的是精神層面的建構，甚至精神上的享受，大大凌駕於物質的享受。

現在年輕人可能很難想像這種人生觀，但在香港文化最興盛的年代，經常都可以碰到這種為了追求精神享受寧肯放棄日常營役的人，他們執著於自己的文化理想，廢寢忘食，追求一種充盈自在的思想境界，堅持一種有別於世俗的超拔的活法，古蒼梧便是這樣的人。

當年的香港，就為這些理想主義者遊弋人間提供了最好的時空。香港幾乎無邊界的自由（除了守法和守護良知）、基本的生活保障、友善和諧的環境、廣闊的國際視野、政府對文化藝術的有心支持，在在催化文化藝術的活力，陽光雨露下萬物生長，滿城生機勃發。

可惜香港的好日子在九七後逐日凋零了，香港的好運走到頭，所有孕育香港輝煌文化根基的外部條件一一失去。今日回望，上世紀八九〇年代，正是香港的黃金歲月，是香港文化最鼎盛的時期，那時不但文學藝術、電影電視、歌壇劇壇、民間俗文化都在最高峰，足以傲視亞洲各國，領一時之風騷。

隨著政治環境肅殺，文化空氣稀薄，政府的有形之手無孔不入，中共的意識形態大舉入侵，香港文化的盛景今非昔比。當圖書館的敏感圖書被下架，文化出版審查日嚴，電影電視紅線處處，文化人的心靈在政治重壓下日益枯萎，香港文化就到了瀕危的關口。

我與古先生，與眾多我們同時代的文化界朋友，有幸經歷了香港最和諧與輝煌的時代，也經歷了香港文化沒落的過程，幸與不幸，點滴在心頭，追昔撫今，欲哭無淚。

韓愈有言：「自古聖人賢士皆非有求於聞用也，閔其時之不平，人之不義，得其道，不敢獨善其身，而必以兼濟天下也，孜孜矻矻，死而後已。」古聖賢知人論世，每有明慧洞見，願以此惜別古蒼梧先生，並與文化界朋友共勉。

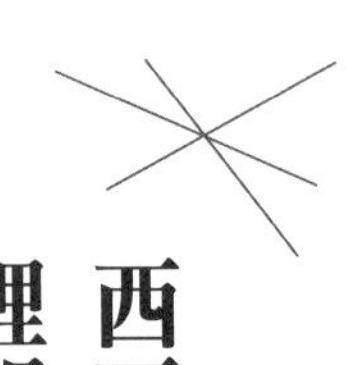

西西——理想主義者無愧於人世的一生

西西去世了，原來已高齡八十五歲，仔細回想，我在香港四十年，竟沒有見過她一次。

我和西西只有過兩次工作上的交集，一次是上世紀九〇年代初，天地受藝術發展局資助，編選一套香港短篇小說選，分五十、六十、七十、八十和九〇年代五冊。當時由也斯編選的一冊中，收入西西一個短編。當年社會版權觀念薄弱，我們事先沒有逐個徵求作者版權，等到書出版後，我收到西西一封信，對未經她同意收入她的作品表示抗議。

書已經出版，我無法補救，藝展局有資助，我們也依規矩向作者付稿費寄樣書。五本選集中只有西西一個人對版權問題表示異議，大多數被選入的作家，都將此事視為社會對個人創作的一種肯定，一般人都不太計較。

西西先知先覺，也顯見她對創作的認真態度。我只覺得對她有虧欠，忘記有沒有回信道歉，公私兩忙，後來也不了了之。

另一件事是九〇年代末我與古劍、舒非合作，向藝展局申請主編一本文學雜誌《文學世紀》，按規定遞交申請時要提交第一期的內容供審查，為壯作者陣容，少不得向西西邀稿。我與她從未直接交往，又有一點芥蒂在先，生怕她一口回絕，便托詩人評論家黃燦然轉達請托，誰知她的詩作很快就由黃燦然轉來了。

收到西西等幾位有份量作者的來稿，我們對申請成功頓時多了一份信心，後來果然也順利獲批准。我主編了一年，其後因工作忙，交給古劍主編，一直堅持了好幾年。這件事又使我對西西的印象完全改觀，即使有先前的不愉快，她對香港文學還是一往情深。

與西西交集的只有這兩件事，香港文學界與她有密切來往的人似乎不多，何福仁之外，我認識的戴天、小思、鄭樹森、許迪鏇等朋友，和西西都是香港文學藝術家協會的成員（？），他們大概會多一點來往，西西對一般文學界中人，一直都是一個神秘的存在。

我只是不斷讀到她一些精采的作品，她一生都在挑戰世俗的文學觀念，挑戰文學形式各種可能性的邊界。她用很淺顯的文字去描繪深刻的人生場景，又打破舊框框，引入藝術手法去豐富文學語言。她是一個文學忠誠的踐行者，只問耕耘不問收穫，而她一生的文學成就，得到兩岸三地文學界的肯定，值得香港人引以為傲。

我對西西缺乏直觀的了解，多年來只聽聞她為專注於創作，過著最簡單樸素的生活，有傳說她因家居環境逼仄，有時要坐在洗手間廁板上寫作，我不知道真假。早年她曾任教師，後來辭職專心寫作，香港文學雜誌稿費低廉，著作版稅可憐，她只能維持最低限度的日常開銷，這樣堅持了一生，她是一個徹頭徹尾的理想主義者，一個文學的苦行僧。

西西一生獲獎無數，但在我印象中，她似乎從未現身頒獎場合，所有的獎項都是社會對她的肯定，但她並不視這些獎為個人的榮耀。她只負責寫，好評差評、得不得獎不是她的事，這種視名利若浮雲的高姿態，香港找不出第二個來。

我反而見過不少汲汲於名利場的半吊子作家，為博取一星半點浮名薄利而不惜做一些很難看的事情，西西與外界保持距離，或許出於對文學江湖上各種醜行的厭惡。我還從來沒見過一個將文學只視為一種純粹的精神勞作，苦心孤詣地沉醉在藝術超然境界中的人。我自問對名利也沒有那麼饑渴，但名利來了，我也不會拒絕。西西是為潔身自愛而拒絕名利的人，我和她也不在同一個層次上。

我認識的前輩作家中，像西西那樣「與世隔絕」的幾乎沒有，戴天長袖善舞，幾乎日日會客吃飯，享受杯酒言歡的生活；劉以鬯性格古板，但也長年編副刊和雜誌，與不少作者打交道，更曾任香港作家聯會會長，大家都免不了多多少少的社會活動。有的人沒有作品，一日到黑遊走各種酒會，樂衷於作家團體的交際，西西是另一個極端，她視應酬為苦差，所以從未見到她出席甚麼公開場合。

我雖然也不樂衷交遊，但工作關係總得見一些人，和一些前輩同輩保持一生情誼，盡管如此，數十年下來，深覺自己寶貴的時間被一些無聊人、甚至可惡的人佔用了。擇友不慎，也上過不少當，有的當機立斷就絕交了，有的卻因世俗的原因，至今還很不情願地被人視為「朋友」。

香港是一個神奇的地方，社會品流龐雜，江湖潛龍伏虎，可以俗到入骨，也可以雅到出世，這裡出產雅俗共賞的金庸，也出產曲高和寡的西西。西西與金庸雙峰並峙，代表香港姿彩紛呈的文學成就，可恨在國安法之後，也代表香港文學高峰的終結。

西西是香港獨特的存在，她本就是稀有人種，在今日這種荒唐末世，更應份絕種了。終其一生為一種單純的理想獻身，不求回報，實際上卻回報豐厚，她的回報不是社會給予她的榮譽，而是她身後留下的那些閃光的作品。

孔子說：「一簞食，一瓢飲，在陋巷，人不堪其憂，回也不改其樂。」我這一生認識的人也不少，只有西西配得上這一句話。

那個筆挺的背影——懷念劉以鬯先生

大清早，朋友短訊告知：劉以鬯先生走了！百歲高齡的老人，見慣歲月風雲變幻，從大陸到新加坡到香港，一個世紀的閱歷藏在心頭，如今揮手從茲去，不帶走一片雲彩。

早些日子江湖傳聞，說《香港文學》要做一個劉先生百歲特輯，因為近年已不看文學雜誌，也不知道特輯出版了沒有，這樣對劉先生，終究也有點不敬。

最後一次見到劉先生，應該是幾年前的事了，在太古地鐵站月台，他有點茫然地在月台上走來走去，我趨前問他：劉先生你在這裡做甚麼？他還記得我，只說沒甚麼沒甚麼。但我估計，他可能一時有點迷糊了，不知道自己是要乘車出去，還是剛剛乘車回來。本來想再問問他有甚麼要幫忙的，但見他並沒有要尋求協助的意思，也只好告別了。

臨走前回頭看他，仍看到那個腰背筆挺的背影，雖然有點蹣跚了，但彷彿身子裡內力還在，還挺得起風中殘燭之身。自我認識他，他就一直保持著那個筆挺的腰背，即使年邁了，也沒有一點佝僂萎頓的樣子。有一次我問他，你怎麼可以一直保持如此的體態，他說每天走兩個鐘頭路，就是上街隨便走，走了一個世紀，走成這麼一副風雨不摧的身架。

初識劉先生，應該是他創辦《香港文學》後的事了。早先他在《星島晚報》編副刊，我初到貴地，自卑感很重，還沒有膽量給他投稿。後來他主編《香港文學》時，大概看到我在文匯和新晚刊登的短篇和散文詩，有點印象，有一次在甚麼場合見面了，就約我替他的雜誌寫稿。後來我有幾個自以為寫得認真的短篇小說，也就寄給他，他也二話不說都刊登了。那時《香港文學》在灣仔道文匯報旁邊，我在文匯編副刊，領稿費時上去坐一會，就像去探訪鄰居。

劉先生對初學者都很客氣，這可能是他們那一輩人的習性，一種民國舊文人的風範。他話不多，也不很健談，只是給人一種體恤的、誠懇的印象，一路溫煦的笑，很少高談闊論，也很少張三李四道人短長。

那年頭是香港文學的黃金時期，《香港文學》之外，尚有黃子程的《博益》、古蒼梧的《八方》，更早一些，還有吳其敏的《海洋文藝》、徐速的《當代文學》，各報的文學副刊也都洋洋大觀，香港作家活動的空間很大，而劉先生不論編副刊辦雜誌，都一如繼往地鍾情於文學，可謂永世不渝。

劉先生主編《香港文學》，致力於培養新人。有一次主動打電話約我寫《蝦球傳》的評論，我說我沒讀過黃谷柳這部名著，他說我有書，你來拿去看看。我沒有文學評論的素養，也從未寫過長篇小說的評述，所謂「無知者無畏」，居然也把小說讀了，也寫了一篇文章略談讀後感，劉先生把文章發表了，此後再沒有約我寫評論。

我心中有數，知道自己能力有限，有負老先生所托，雖然他不很滿意，但為顧及作者的自尊，還是勉為其難刊出了，為此，我更感念他的寬容。

有一次他看到我在新晚報「星海」上幾個極短篇，見面時就讚好，叫我要多寫，我那時初涉創作，底氣不足，聽了他的鼓勵，整晚睡不著。我有時想，當年青澀入文壇，內心虛怯，如不是有像劉先生這樣的前輩，一路扶携打氣，恐怕我在文學上的路，走不到這麼長久。今日劉先生一去無回了，而文學對於我，也已前路無多——不只是心力，更是大環境。

我都在作家聯會圈子裡活動，劉先生是會長，曾敏之先生是創會會長，劉先生不是組織者，但又負有領導責任，雖然有領導責任，他卻又淡泊自持，不以會長的名份指手劃腳。作聯理事開會，他主持會議，往往一個開場白：今天我們開理事會，具體討論甚麼問題，請曾敏之先生說說。原來他做會長，連理事開會要研究甚麼問題都不知道。

後來有一次，幾個人和曾敏之先生聊天，不知因為甚麼事，曾先生不太高興，竟然說：劉以鬯是我們扶上去的，我們也能把他拉下來。我聽了這句話，心裡不太受用，覺得以劉先生在文壇的影響力，他實在不應該受這樣的委屈，好像被別人扶上拉下的，自己竟毫無自主的機會。不過，那都是體制的問題，也顯示兩位老先生為人的不同之處。

多年來我與劉先生沒甚麼私交，一般是場面上見見，倒是有幾次一起擔任文學獎評判，比較多一些接觸。有一次是市政局雙年獎，各人為自己的選擇大費脣舌。那年劉先生推薦一個三部曲長篇，劉紹銘教授推薦另一部，我推薦陳慧的《拾香紀》，因為很喜歡，特別堅持，糾纏到最後，竟然大家都讓我說服了。頒獎時劉先生代表評判講話，特別提到我再三推薦陳慧的《拾香紀》（一般很少人會把評判推薦誰公開說出來），頒獎後文友許迪鏘帶陳慧來見我，自此和她認識。後來陳慧和原有的出版社合作不太開心，就來和我商量，從此她的作品都轉到天地圖書出版，我和她也保持了十幾年的情誼。

若無劉先生一時的熱心，便沒有我和陳慧多年的合作。

另一次是浸會大學的文學獎，劉先生、黃子平教授和我，三個人做小說評判，居然我和劉先生的看法又不一樣，反倒黃子平教授和我的看法相同，到最後，還是劉先生遷就了我們的意見。

劉先生雖是老前輩，在香港文壇舉足輕重，但在我印象裡，他從不擺架子，也不以勢壓人，按理如果他堅持自己的選擇，到最後我們都會尊重他的，但他反倒會尊重後輩的看法。這種事說大不大，說小不小，大處看，是對作品負責任，小處看，是評判個人的性情。劉先生為人寬容，也善於聽取別人的意見，如今自己也到了劉先生當年的年齡了，自問在相同的處境下，自己未必能做到像劉先生那樣大度。

九〇年代中我服務的天地圖書，得到藝發局資助，主辦第一屆香港長篇小說創作獎，當時我邀請劉先生擔任評判，劉先生想都不想就答應了。那年一起做評判的還有戴天先生、鄭樹森教授、黃繼持教授、黃子平教授，可謂一時之選。經過初選階段，選出五部作品入圍決選，我作為主辦方，主持評選會議（沒有投票權），劉先生提出來的首選，又和其他評判都不同。而最後，當然他又得少數服從多數。

劉先生的眼光和他人不同，必是他看作品有另一些非常特別的角度，那些角度又是其他人未必看得到的，但他不善於（或不習慣）與人論爭，往往三言兩語也道不盡他心中所想，因此有時候我也私底下有些不安，覺得他那樣大度，我們又那樣固執，似乎有點對不起他。

劉先生的小說我沒有全部讀過，他的《酒徒》是鎮山之作，意識流動，細節華采，我因工作和家事兩頭忙亂，竟也沒有讀完。在他的年代，那是不可想像的前衛，等到我們都「趨炎附勢」地寫意識流，只怕劉先生在一旁都看著偷笑。

不管如何，他代表一個時代的終結，今日文壇蕭條，老朋友星散，前輩一個個走了，想起香港文學盛況不再，唯有欷歔。

訥於言而敏於行——懷念對我有深刻影響的文壇前輩吳羊璧先生

前不久，我當年在文匯報副刊擔任編輯時的上司，香港文壇前輩吳羊璧先生去世了。九十四歲高齡，比我想像的更高壽。我得到消息後，本想致送一個花圈表達哀思，但考慮到我的政治立場可能造成他家屬的不便，於是便當作自己不知道，其實內心之哀傷與不捨，也只有我自己知道。

我與羊璧相識於一次徵文比賽，上世紀八〇年代初，香港三聯書店慶祝創辦三十周年，舉辦了一次徵文。我剛到香港不久，在報刊發表過一點小文章，便鬥膽寫了一篇短文去應徵，不料竟得了入圍獎。頒獎那天，三聯搞了一個飯局，請來評判與得獎者見面，那天晚上第一次和羊璧見面。

席間大家交談，羊璧散席時就向我約稿，希望為文匯副刊的「筆匯」版寫點散文，事後我果然開始投稿，自此與羊璧結緣四十年。

八〇年代初，我進新晚報協助編副刊，工作了兩個多月，就因羅孚出事被炒魷魚。後來我打電話給羊璧，問文匯副刊有沒有職位空缺，羊璧說暫時沒有，他建議我先轉到文匯校對部，以後副刊有職位就把我調過來。當時我仍在晶報當校對，心想一動不如一靜，就沒有轉職。

大約一年後，羊璧打電話給我，說副刊有空缺，問我有沒有興趣，我當然喜不自勝，從此告別了晶報。

我到文匯副刊編一個新開創的版，叫文摘版，是將海內外各種中文報刊上的文章剪下來，作必要的刪節，然後拼成一個大雜燴的版面，包括各種知識、文化消息、人物近況、奇聞逸事。剛涉足編輯實務，工作生疏雞手鴨腳，都是羊璧一點一滴教我。版面正式刊出後，反映居然不錯，我也就正式上手做編輯了。

羊璧做主任，大而化之鬆散管理，平時從不耳提面命，放手讓編輯自己去經營。有好作者好文章，他會主動推薦，但從不說這個好那個不好，應該如此不應該如彼。有時副刊開會，他籠統說幾句，也是點到即止，無為而治。

羊璧性格內斂，從不口沫橫飛，也極少大聲說笑，他也不與同事談論報館中的人事，外面的江湖是非。做編輯難免要與作者打交道，羊璧經常帶我出去見文化界的老朋友，通過他我認識不少前輩和同輩，打開了自己的社交圈子。

我也不是長袖善舞的人，與羊璧性情相近。他喜歡古典音樂，每星期在《百花》周刊寫一篇樂評，經常有公司寄錄音帶或CD碟給他，他有時會將他多出來的唱片轉贈給我，我竟因此也迷上古典音樂，迷了一輩子。

有一次我和他聊起寫作，他閒閒說了一句話：「寫文章應該有這麼多（兩掌拉開齊肩寬），寫這麼多（兩掌湊近一掌寬），不應該有這麼多（兩掌一掌寬），寫這麼多（兩掌齊肩）。」言下之意是，寫文章應該心中有很多，寫出來很少，不應該心中只有很少，寫出來很多，簡單說是要濃縮，不要充水。

這句話我記了一輩子，遵行了一輩子，得益了一輩子。

羊璧從未對下屬疾言厲色，有同事據說是報館上層介紹來的，因恃著有點背景，時常遲到早退不見人，羊璧也聽之任之，只要應交的差事不誤，他就給人方便。他之寬容發生在我身上，是有一次我出了大事故。

當時副刊工作還在手工業階段，沒有電腦，每天編輯要自己「貼樣」。版房將校對好的樣稿拍好照片，一篇篇文章出版樣（相片）交給編輯，編輯要將版樣剪好，貼在大版上，然後交工廠上版印刷。有一天商務印書館有一個酒會，偏偏版房的版樣一直沒有送上來，我便自作聰明，心想等酒會結束後才回來貼版。誰知去到酒會，見到張三李四，天花亂墜，竟完全忘記貼版的事，直接回家吃晚飯。

第二天上班，在電梯碰到工廠廠長，他說你昨晚是怎麼搞的，版樣都沒有貼，到處找不到人。我一聽突然醒悟闖了大禍，心涼了半截，準備回副刊後被主任「省一餐」。誰知一個下午羊璧都沒有動靜，當天沒有，後來也沒有，永遠都沒有，直到我和他都退休了，都好像從來沒有發生過這件事。

沒有手機的年代，太太晚下班家中沒有人聽電話，當天工廠出於無奈，只好臨時拼了半版廣告填補空位，等於文匯報白白送給一些廣告客戶不要錢的廣告位，而羊璧便將這一次事故自己擔了起來。

給我做主任，我也未必罵下屬，但至少會把他找來，問清楚來龍去脈，提醒他今後不要再發生同類事故。我自問還沒有羊璧那樣的涵養，可以如此不動聲色輕輕放下。

羊璧做人低調，做事從不張揚，從不自吹自擂。很早的時候，他就與李怡合辦過半月刊雜誌《伴侶》，後來又主編過一本書法雜誌《書譜》，《書譜》曾經是兩岸三地最著名的書法雜誌，受到遠自日本的書法同行的重視。

羊璧自己也是書法家，但從來都很低調，不會動輒寫字送人。直至退休很多年後，在家人朋友的推動下，他才在藝術中心做了一次書法展。當天整個展場掛滿他大大小小、正楷行書草書隸書等不同字體的作品，是他一生熱愛書法的一次巡禮。我覺得他的字有黃庭堅的風骨，長槍大戟，閒庭信步。那天我和一班文匯舊同事都到現場恭賀，大家拍了照片留念。

羊璧長期因工作較忙，又要寫專欄，沒有專心去撰述自己喜歡的作品，反而退休後，他竟將一輩子積累下來的學識，撰寫了大批歷史與書法著作。最令人驚訝的是一套中國五千年大故事系列：《堯舜春秋》、《戰國百家》、《秦漢一統山河》、《三國六朝》、《唐宋盛衰》、《明清近世》、《近代百年波濤》共七冊；另外還有《百戰山河》三冊。此外，他還著有《書法長河》、《書家與書藝》、《下筆如有神》書藝廊系列。

他的歷史著作，資料採自各種史書列志，將文言文化為通俗易懂的文字，講歷史故事，評述歷史人物，書寫歷史興衰的來龍去脈，這一套書對於讀者了解自己民族的歷史很有幫助。歷史不是年代人物事件的單調記述，歷史是人的命運，國家的興衰，文化的變遷，讀歷史是要知道我們的來歷。

此外他的書法著作，也深入淺出，寫歷代書法源流，介紹史上重要的書法家，評述他們流傳千古的作品，這對於想要了解中國傳統文化的人來說，也是不可多得的讀物。

羊璧只接受過中等教育，他一生的學識與修養，都來自個人業餘的進修。他的父親是香港老一輩文化人吳其敏先生，其敏先生本身也是作家和編輯，曾任香港有影響的文學刊物《海洋文藝》主編。羊璧有家學淵源，但他的成就來自他刻苦的自學，這是現今年輕人想像不到的事情。

當年我離開文匯報，也值得一記。我在文匯工作五六年，對報館企業文化已經很失望，早萌去意。那段時間除自己的工作之外，羊璧經常臨時抽調我去做其他上面交辦的事，文匯報周年報慶，向國內外徵集書畫家作品搞一個展覽，羊璧負責展場的安排，他就拉我一起去，有些畫作沒有題名，我們要臨時起意為它取一個名。

有一年東北森林大火，新華社記者採寫了一本圖文並茂的書稿，羊璧也交給我，我利用報館工作空閒時間，編輯校對排版一腳踢，也把那本書印出來。後來文匯報到北京人民大會堂開招待會，據說還將那本書拿來贈送來賓。

本職工作已近飽和，又時常被臨時抓差，不免有點身心俱疲的感覺。有一次，副刊筆匯版編輯休假，羊璧又要我暫代，我有點想要推托的意思，便說自己血壓有點高，羊璧問有多高，我說 90 至 140，羊璧微微一笑，說那也不算太高。

這句話讓我很不受用，當晚回家後一番考慮，就決定向報館辭職。其實在此之前，天地圖書總經理陳松齡已多次勸我轉到天地任全職，還應承給我兩邊工資總額的待遇，我因此有恃無恐，一時衝動，第二天就寫了辭職信給羊璧。

羊璧很愕然，勸我打消去意，我說我不是因為工作的事，是因為我對報館已經很失望。後來羊璧又去找社長李子誦，為我爭取加薪一千元（當時月薪八千元），但我去意已決，就表示自己不是「跳草裙舞」，自此，和羊璧和平分手。

我離開文匯後，一直與羊璧保持聯絡，我對他沒有怨言，倒是一直感念他對我的幫助和包容。我們時常在北角新都城樓上的酒樓，他和太太黃子玲大姐來，我們很簡單叫幾個點心，天南地北聊天，說說笑笑，像老朋友那樣。他份屬前輩，又是我的上司，我應該執弟子禮，但每次羊璧都親切地笑，三言兩語，很多事情彼此心照，好像多年知己。

羊璧在文匯工作一生，退休時才拿了九十萬退休金，他用那筆錢在跑馬地買了一層樓。後來又搬到科技大學附近的村屋，向海村屋的二樓，陽台上可望見一角遠海，周圍綠樹濃蔭，鳥語幽幽，海潮聲隱約可聞，我很為他的退休生活慶幸。再後來，因為年紀大了，出入看病不方便，他又搬到鰂魚涌，我們變成近鄰，自此更常見面。

他慢慢老邁了，出門要拿拐杖，說話更少，有時見他迷茫地笑，好像對我和黃大姐說的事不太瞭然。我離開香港前，不想打擾他，只打了一個電話向他道別，他家裡有一些人聲，大概子女都在身邊，我說的話他似乎也沒怎麼聽清楚，我只好怏怏收了線，知道這一次別離，將不再有機會見面了。

我們從來沒有談政治，羊璧對政治很疏離，我不想去為難他，於是都繞著時事問題走。直至他去世，我才猛然發覺，我甚至不知道他對共產黨有甚麼觀感。

羊璧當然不是中共黨員，他在文匯報，長期處在邊緣位置，因為資格夠老，又有社會地位，報館需要他這個招牌，可是做了一輩子，到退休時也只是編輯部副主任兼副刊主任，很多輕浮又冇料的年輕人都是他的上司。我相信他從來沒有往上爬的慾望，他只是喜歡做文字工作，文匯報副刊提供了這個平台，他善始善終，把自己的一生，都奉獻給文字工作。

想起羊璧，就想起論語中的「訥於言而敏於行」，羊璧為人有古風，沉實篤行，一生走自己的路，不求聞達於世，但他的為人，卻是我一生精神上的楷模。我在為人處世上受了他很深的影響。我這一生，有幸結識一些人格高尚、學識淵博的前輩，這是我最幸運的人生際遇。

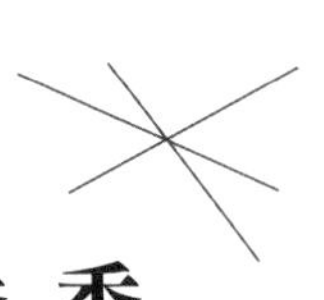

香港人造就了香港，香港也造就了香港人

剛剛走了古蒼梧，陳松齡先生也走了。古蒼梧和我交淺言深，陳先生卻是我三十多年出版生涯的上司。我每天上班八小時，與他近距離相處，幾乎比我和家人一起的時間還要多，他對我的影響也不可謂不深。

照我所知，陳先生曾擔任過《廣角鏡》雜誌副總編輯，也曾任《七十年代》副總編輯，「七十」與天地分家後，李怡先生帶走雜誌，出版部和門市部由陳先生管理。那時天地圖書的董事長是方志勇先生，還有兩位跟陳先生一起留下來的高層，一位劉文良是執行董事，一位李俊雄是副總經理。

天地是民間出版機構，但有中資出版集團的背景，也有一些股東是海外中國文人。在八〇年代初中國改革開放的大背景下，香港文化環境相當自由，出版沒有禁區，天地圖書在短時間內成長起來，可謂天時地利人和，得風氣之先。

八〇年代中國當代文學從噩夢中醒來，老作家紛紛「出土」，新作家紛紛冒頭，那時我們開始做一些大陸文學精品的引進，陳先生對這個方向一直很支持。我們出版了王蒙、張潔、劉心武等一大批老作家的作品，更出版了賈平凹、張煒、王安憶、蘇童等新作家的代表作，張煒的《古船》、賈平凹的《廢都》都曾引起極大反響。

陳先生一向主張嚴肅與流行兩條腿走路的方針，亦舒、李碧華、蔡瀾、梁羽生的書長期暢銷，大陸文學作品缺乏香港市場，如非陳先生堅持，是不可能長久支持的。他曾說：只做通俗書，我們自己都唔過癮啦！堅持文化多元，出版不同的書給不同的讀者看，這是他長年堅持的原則，也影響了我的工作思路。

天地圖書是商業機構，出書不可能不顧及經濟效益，但九七前香港有很活潑的文化市場，文化信息四面八方湧來，香港人關心大陸社會變化，對政治解凍滿懷期望。

我們出版的《毛澤東的黃昏歲月》、《雪白血紅》、《上海寶貝》、《中國抗日戰爭圖誌》、《墓碑》等反映大陸歷史、政治和社會現實的書，都曾經有很好的影響和效益。後來龍應台的《大江大海一九四九》、馮唐的《不二》，兩本性質完全不同的書，成績都很理想。

陳先生要管理整個公司，分身乏術，但他對同事給予充分的信任，支持他們的工作，平時最多是提點一些注意事項。有時我們判斷錯誤，書賣得不好，他也會安慰說：有輸有贏，唔緊要。放手是信任，安慰是體貼，他管理公司採取的是兄弟班的方式，同心協力，和衷共濟，他與我之間保持了三十多年良性互動的關係。

天地曾有過輝煌發展的時期，九七前後生意欣欣向榮，在陳先生帶領下公司穩步擴充，自置兩層寫字樓，在九龍開分店，也有獨立的貨倉，編輯部陸續增聘，一度每年出版三百多本書。曾經有幾年，公司出錢請同事旅遊，年底分紅也可觀，公司在文化界的影響力也漸次提高。香港藝術發展局成立之初，我們申請政府資助，出版一些香港文學書，創辦長篇小說創作獎，也取得不俗的效果。

天地有過十年八年的好日子，九七後開始面臨政治上的壓力。公司始終有左派的背景，陳先生與左派文化圈子聯繫密切，出版界老行尊藍真先生是公司顧問，很多事情都要和他商量。藍真先生本身思想也開放，但局內人難免要顧全「大局」，因此我們慢慢感受到政治像烏雲一樣籠罩在頭頂。

香港大學新聞與傳媒研究中心做很多大陸新聞研究，掌握最新動態，也邀請不少大陸媒體人到香港訪問。我們先後和中心合作出版不少好書，也合作舉辦一些活動。因為作品和作者都有政治敏感的問題，這批書有點難以為繼。後來改用香港大學的書號，仍由天地製作和發行，減少了天地的壓力，勉強維持，而彼此都意興闌珊了。

陳冠中的《裸命》出版後，社會影響大，因涉及西藏問題，壓力也很快降臨。後來陳冠中的新書稿送來，陳先生迫於環境只好婉拒，退稿給陳冠中時，我頭都抬不起來。

這類事情多了，漸成常態。每有敏感書稿，我與陳先生商量時，他都欲言又止，苦惱寫在臉上，事情拖幾天，雖然力爭，最終還是否決了。為此我也鬱悶不樂，覺得工作越來越不順心，時時掣肘，處處陷阱，但大趨勢如此，也怪不得陳先生。

陳先生是老派人，為人溫柔敦厚，工作作風穩重踏實，對同事從不疾言厲色，同事做得好，他不吝給於讚賞，做得不好，也從不正面批評。他也在生活上關心同事，主動為同事著想，幫助他們解決生活和家庭的難題。

我退休前，編輯部開會道別，陳先生拿了一本總書目，一頁頁翻過去，說這是顏生做的，那也是　生做的，話說到一半，突然悲從中來，老淚縱橫，搞得同事都不知所措。這是我目睹他的第二次當眾流淚，之前一次是執行董事劉文良先生急病離世，他在編輯部會議上也泣不成聲。陳先生是性情中人，視同事如家人，這是他雖然無為而治，而公司上下都能同心同德的基本原因。

陳松齡先生並不是才氣縱橫的文人，不像李怡先生那樣一生筆耕不輟，他有自己的文化理想，勤勤懇懇，腳踏實地，為人厚道，處世溫潤，他的真性情成就了他的事業，他的事業成就了他正派坦然的人生道路。幾十年默默耕耘，不求聞達，香港就是由無數像他那樣實實在在的人打造出來的。

不同行業的香港人，數十年兢兢業業為自己打拚，也為香港打拚，百年以下，香港在香港人的共同努力之下，成就了一個東方神話。香港是香港人打拚出來的，香港也造就了不同凡響的香港人。

一個人一生從事自己喜歡的工作，那是極大的幸運，一個人一生能與好上司和好同事合作，那更是難得的機遇。每個人都有自己的性格與理想，自己的特長和局限，只要與人為善，就能取長補短，我很慶幸自己的生命中有陳先生。

陳先生大我十來歲，等於半個前輩，我們屬於同時代人。我們這一代正在逐漸走入歷史，我們留下來的香港，卻處於陰晦未明的世紀風雨之中，想及此，真是百感交集。

我經歷過香港文化的黃金歲月——李碧華《妒魔》

早前收到天地圖書寄來李碧華的新書《妒魔》，這是李碧華在蘋果日報被迫停刊前，在該報連載的最後一部小說集。《妒魔》仍沿襲李碧華作品的風格，故事短小精悍，題材多樣化，有靈異故事，也有社會題材，有的涉及愛情，有的講述家庭倫理。她的小說以故事取勝，文字別有匠心，每每在故事之下，或隱或現地埋伏世道崎嶇人生變幻的哲理。

我初進天地圖書任兼職編輯，李碧華已經是天地的作者。當年天地圖書有「四大天王」亦舒、李碧華、蔡瀾和梁羽生，我們曾將四大天王概括為：亦舒的愛情、李碧華的奇情、蔡瀾的逸情，梁羽生的俠情，情字當頭，說不盡人間故事。

有一年，公司為亦舒和李碧華做電視廣告，在當年香港文化界，這也是破天荒的豪舉。當時在無線買了一個廣告套餐，請資深傳媒人江關生主持的製作公司製作，我們商量以沙灘情侶拍拖的場景來宣傳亦舒，以著名舞蹈家梅卓燕女士的舞姿來呈現李碧華小說散文的異美風格。那是香港文化最繁榮昌盛的年月，每天都有新奇的事發生，一年半載就有一個令人眼前一亮的新作者冒出頭來。社會氣氛自由活潑，文化創新有無限可能性，人人都以突破舊框框、開拓新境界為時尚。

當年天地圖書也不只出版四大天王的作品，我們也出版不少大陸政治歷史題材的紀實作品、老中青著名作家的代表作，後來更出版林行止曹仁超等財經作家的作品。台灣的龍應台白先勇，大陸的賈平凹馮唐，都長期叫好又叫座。大陸每有爭議性的作品出現，香港出版社爭相引進，越是政治敏感的書越有讀者。

自己工作開心有滿足感，整個香港的文化氛圍自由、活潑、放恣、繽紛，那是香港文化空前絕後的高峰，我適逢其會，是個人生命中的一大幸事。從我來港的七〇年代末，直至回歸前後，那二十多年間，香港造就了一個令兩岸乃至東南亞為之傾倒的文化榮景，滿天花雨，潤物細無聲，香港的文學藝術、影視舞台、民間文化，呈現一種火山噴發一樣的繁榮景象。

六七暴動的社會風潮已過去，港英政府實施寬鬆社會政策得到香港人的擁戴，各行各業興旺發達，經濟高速成長推動文化事業開拓疆界。在物質生活水平提高的同時，香港人對精神生活的要求也日益高漲。

當年眾多的知名學者與教授在香港雲集，台灣現代文學的三名主將，劉紹銘在嶺大、李歐梵在中大，詩人戴天主編《信報月刊》；中大有詩人余光中等「沙田七友」，還有黃繼持、盧瑋鑾；梁錫華在嶺大，鄭樹森在科大，也斯、陳耀南在港大，鍾玲玲黃子平在浸大。教授們一隻手教書，一隻手寫作，得閒兼做文學獎評判，參加本地文學活動，培養有潛質的後起之秀。

那年頭香港有好幾種文學獎，有不同性質與規模的書展和畫展，除了不斷推出的新電影新電視，還有不少經典名片重映的早場。市政局主辦香港電影節、日本電影節，韓國電影節，每到電影節期間，就是發燒友們撲飛的時候。

與此同時，話劇粵劇舞蹈演唱也相當興旺，除了數十份中英文報紙之外，還有各種時政文化、八卦娛樂、婦女兒童刊物。蔣芸女士主編的《清秀》雜誌是女性讀者的恩物，鄭經翰創辦的中文版《花花公子》也曾一紙風行。

當年香港電台電視部曾拍過兩輯「小說家族」，召集一批新銳導演，改編香港作家的小說為單元劇，影片都走試驗風格，這是一次影視與文學結合的最佳示範。李碧華的很多小說，先後被陳凱歌、張藝謀等著名導演改編，《霸王別姬》曾獲金球獎最佳外語片獎。《霸王別姬》和《胭脂扣》由梅艷芳張國榮主演、《青蛇》由張曼玉王祖賢主演、《川島芳子》由劉德華梅艷芳主演，都是編導演高度結合之下膾炙人口的代表作。

李碧華自《壹周刊》創刊起，就被黎智英羅致為副刊作者，後來又在蘋果日報寫專欄，一直合作到壹傳媒被迫結業。我印象中，自壹周刊起，她就沒有為其他報刊寫過稿，她是黎智英由始至終最長情的作者之一。

李碧華與天地，從她的第二部作品起，數十年合作無間，她與天地圖書一起成長成熟，一起見證香港文化的黃金歲月，她與無數不同風格的香港作家的成功，無可置疑地建基於香港自由的文化環境。

先有自由，才有包容性、創造性與前瞻性，才有群峰並峙的文化的壯麗山河。自由之難，不在自由本身，而是需有足夠的社會條件提供保障：要有自由，一定要有人權，要有人權，一定要有法治，要有法治，一定要有民主。

到最後，香港因為沒有民主，法治靠不住，人權成泡影，自由終也流水落花春去也，自由失落，香港文化也走向末路。今日香港，還能誕生亦舒、李碧華、蔡瀾與梁羽生嗎？還能出現金庸、倪匡、黃霑、董橋、陶傑這些一等一的文化棟樑嗎？還能出產西西、也斯、黃碧雲、鍾曉陽、董啟章、韓麗珠這些風格殊異影響兩岸三地的作家嗎？

想及此，不禁為香港文化的沒落而擲筆三歎。我雖然經歷過香港文化最輝煌的日子，但我不知能否看到香港文化復興的未來了。香港人享受過香港的文化榮景，我們的子孫還有這種機會嗎？

為抗爭歷史留影，為香港青年造像——讀陳慧長篇小說《弟弟》

遠隔南北半球，讀完陳慧的小說新作《弟弟》。據說在台灣出版後已經五刷，那是很好的成績，也證明陳慧去到異鄉，仍保持她的創作態勢，仍為香港魂牽夢繞。

年輕的朋友可能不太知道陳慧，她是土生土長的香港作家和電影編劇，她的劇本先後改編為影片上映，她的長篇小說《拾香紀》曾獲香港文學雙年獎，當年擔任評審的有劉紹銘教授與老作家劉以鬯，我有幸也是那一屆的評審，因此認識了陳慧，後來她的作品轉到天地圖書出版，我們有過一段長時間的合作，也時常見面飲茶。

那真是一些好日子，朋友們都興致勃勃做自己喜歡的事，社會還有活力，香港文化還有餘溫，我們都還沉浸在尋常日子的微欣中。陳慧比我稍早一點離開香港，到台灣教書，她有新作出版，我拿在手上有一份親切感，好像見到老朋友一樣。

陳慧的小說有地道的香港味，擅長將歷史風雲編織在家族變遷之中，對親情與愛情的觀察與描繪絲絲入扣，又能細緻把握人物的心理轉折。《拾香紀》如此，《弟弟》仍充分沿襲她的優勢，只是比以前更深沉而雋永。

《弟弟》寫姐弟情，卻以佔中以來的香港政治運動為大背景，背景很淡，親情很濃。她有意放棄抗爭現場的描繪與宣染，重在人物關係的演化與心理的變遷。這種寫法需有高屋建瓴的把握，需要對人物與事件的分寸胸有成竹，否則容易流於空洞，幸而陳慧拿捏得很好，鬆緊合度，虛實相映成趣。

《弟弟》的姐弟情寫得非常動人，他們不是一般的姐弟，父親在大陸另組家庭，母親做生意麻醉自己，父母與孩子若即若離，只剩姐弟二人相依為命。人說長姐如母，這個姐姐扮演的就是半個母親的角色。

弟弟一天天長大，他獨立的生命個體在慢慢成熟，慢慢脫離姐姐的關顧，姐弟倆的關係遂進化到一種遙遠的牽掛：分明性命相繫，卻又各有生活軌跡，好像有不少交接，實際上卻漸行漸遠。

小說後半段，蜻蜓點水一樣側寫弟弟參與佔中運動、旺角事件以至反送中運動的點滴，這方面的描寫也一直相當淡薄疏離，甚至缺乏一種現場感。我猜這是陳慧刻意為之，她志不在描寫運動本身，志在描寫運動中的香港年輕人，描寫他們的憤怒與痛苦，描寫他們曲折的心理轉折，以及與荒謬現實的撞擊。

正是將政治運動的現場推遠了，運動的喧嘩與慘烈虛化了，人物的內心才更鮮明地突顯出來，這當然有一點冒險，但陳慧的處理卻表現為一種獨特的藝術手法。弟弟長時間在抗爭現場，姐姐也同情參與運動的年輕人，多次到現場支援，只是人物與事件好像很遠，模糊了很多激奮的場面與嘈雜的市聲，真正的衝突被過濾了，卻有很多不太分明的東西不動聲色深植在人物內心。

這是陳慧聰明的地方。香港近年的抗爭場面，多數人都瞭然於胸，當讀者接觸到這些離遠看到的社會事件時，他們會在自己內心去組織真實的場景，令小說人物的真實感受，平白多出一種由讀者生成的背景聲色，所有的騷動與喧囂，便像電影上全景鏡頭一樣，在讀者的腦海裡演化出來。正因省略了現實場景的描述，使人物心理的細膩變化顯得更有層次，更富於懸念，也更讓讀者牽掛。

小說結束前，姐姐正籌備結婚，而弟弟卻準備進入「退出機制」，所謂「退出」，是向姐姐坦承結束生命的決定。這是相當驚心動魄的安排，現實中未必有一個姐姐可以接受弟弟自殺的計劃，但小說中的姐姐卻沒有呼天搶地地阻止弟弟的決定。

只有對生命極度絕望的人才可以有這樣慘淡的抉擇，這是非人性的，又是人性的，這是非現實的，又是現實的，這不是香港的，又絕對是香港的。

看完這部小說，只覺一顆心塞住，雖然輕描淡寫，但卻沉重得承受不起——今日香港的年輕人竟絕望至此，今日的香港竟令人心灰至此。香港變成這個樣子，香港人完全無助，完全無法把握自己的命運，更無法拯救香港的沉淪，這就是我們的年輕人要泰然赴死的理由？

小說結束時，姐姐還沒有結婚，弟弟也還沒自殺，他們的命運如何，仍舊有待讀者去完成，這也是陳慧聰明的地方，作者與讀者，彼此合作來形塑我們的城市和我們的青年。

陳慧是電影編劇，她的小說讀起來都像電影的分鏡頭劇本，有全景也有中景，有情節也有特寫，很多蒙太奇式的剪接。文字非常簡潔明快，有濃重的香港情懷，也有淡淡的市井味，這是如假包換的香港小說，是這個時代香港人的心靈史。

陳慧長時間關注和參與香港的社會運動，佔中運動時她是佔中十死士之一，她是香港作家中站得最前面的一位。今日回望，當日的血與火褪化成遠天的霞色，陳慧召回香港的魂魄，把它們重塑出來。

我不知道是否真正理解了她的小說，可能每個讀者都會有不同的讀法。不管如何，我衷心祝賀陳慧又一部佳作面世，希望有更多讀者通過她的作品去緬懷我們經歷的那些風雨交加的日子，並且不要忘記為我們的城市付出生命代價的香港年輕人。

真相無價：正確的歷史觀是價值觀的基礎——讀程翔著《香港六七暴動始末》

老朋友程翔著作《香港六七暴動始末》最近才有機會拜讀，這本書有一個副題「解讀吳荻舟」，整本書的基本資料來源，就建立在中共駐港幹部吳荻舟的一部文稿之上。

吳荻舟一九三〇年加入中共，曾任香港《文匯報》社長和招商局顧問，是中共在香港的實際負責人之一，後調北京任國務院外事辦公室港澳組副組長。因處理香港六七暴動與造反派意見不一，經歷十三年的政治審查，一九七九年平反，一九八二年離休，一九九二年離世。

吳荻舟去世後留下一部文稿，記述他親歷的中共香港工作。他對其間的左傾錯誤深惡痛絕，加上曾經直接在周恩來身邊工作，對中共在香港的活動知之甚詳，更曾親身制止私運武器到香港的極端行動，對六七暴動有清晰記載及深刻反思，因此文稿具有重大的歷史價值。

程翔以吳荻舟的文稿為主軸，結合朋友協助提供的英國和美國解密檔案，更結合不少六七暴動親歷者的回憶和訪問，爬梳歷史背景與暴動的來龍去脈，重組事件過程，校正被扭曲的真相，恢復歷史的本來面貌。

中共中央對香港的六七暴動事件，已有正式的官方結論，但正如文革有權威結論仍不斷被扭曲一樣，香港六七暴動的真相、極左運動對香港本土的傷害，以及因歷史真相的埋沒導致的政治蒙蔽，嚴重影響香港人對本土歷史的認知，也影響香港市民對中共極左政策的警惕。程翔這部書的價值，便在於澄清史實，辯駁謬論，樹立正確的歷史觀，有助香港人更完整地體認我們經歷過的政治風雲。

本書分三大部分，第一部分是專題論述，第二部分是對吳荻舟「六七筆記」的解剖，第三部分是吳荻舟遺文選編。

第一部分除了概述暴動過程之外，還探討暴動的原因和目的、暴動的發動與進程、指揮與組織機制、周恩來在暴動中的角色、暴動期間中共對香港動武的考慮、暴動的落幕、英方應對的策略與方法、吳荻舟的反思以及作者閱讀吳荻舟遺文的感受。

第二部分是對「六七筆記」文字的註釋。作為工作筆記，不像一般文章易於理解，句子不完整，很多概念模糊，更有政治術語與縮略語容易引起誤讀。程翔花了不少心力對「筆記」進行註解與解讀，同時引入很多背景資料，輔助當年的報章消息以及解密檔案，旁徵博引，爬梳理順，方便讀者理解這份珍貴的歷史資料。

第三部分是吳荻舟遺文選輯，選擇吳荻舟遺文中別具歷史價值的文字，針對所涉及的歷史事件，介紹背景和人物，詮釋中共政策的變遷。程翔採取一段引文緊跟一段解讀的結構方式，方便讀者理解與歸納吳荻舟遺文中的要害，對理解吳荻舟以及他的生平，理解那時代的政治內幕，理解中共在港秘密工作的習性等等，都有直接幫助。

本書主體文字之後，還附錄了「吳荻舟傳略及年譜」、「吳荻舟年表」以及「參考資料」，可以說是一部結構嚴謹、資料翔實的歷史著作，是對那段香港歷史場景的一次徹底澄清。

程翔是資深新聞工作者，爬梳歷史有豐富經驗，長期在左派機構工作，對中共體制內的組織系統與工作程序相當熟悉，加上自六四事件以來，對中共的本質有透徹認識，因此這本書浸透了他對香港歷史高度負責任的態度，也顯示他精於爬梳歷史資料、高屋建瓴、邏輯嚴密的長處。

董橋先生名言：「新聞是歷史的草稿」，所有今日發生的事，都是他日書寫歷史的基本依據。新聞工作者對歷史有先天的敏感，他們善於追尋歷史細節，發現資料死角，也善於追索歷史脈絡，解剖歷史謎團，他們的專業訓練表現在他們的論述中，更令讀者容易領會。

關於六七暴動，值得關注的還有資深電視紀錄片導演羅恩惠的專題片《消失的檔案》，關於中共在香港的活動，也有資深新聞工作者江關生的著作《中共在香港》（上下冊），都是認真嚴謹的作品，對歷史有興趣的網友，不妨參考。

所有專制統治者都是歷史的敵人，他們永遠都在扭曲歷史，打扮歷史，掩蓋真相，偷換概念，他們最怕人民掌握歷史真相，這便是中共統治中國七十餘年來，所有中國當代史都成為黑洞的真正原因。

中國歷史上有「崔杼弒其君」的典故，表現出古代史官剛正不阿的精神。對於歷史，詮釋是次要的，最重要的是追索真相，沒有真相，所有的論述都不可靠。專制獨裁者掩蓋與扭曲歷史真相，人民要反其道而行之，視真相為歷史研究的第一要義。

沒有甚麼比真相更重要，不論是對現實還是對歷史而言。正確的價值觀建立在正確歷史觀之上，正確的歷史觀建立在準確的歷史真相之上。沒有歷史真相，便沒有對歷史的清醒認識，便沒有良知與道義，最終，便沒有正確的人生觀與價值觀。

香港年輕人經歷過九七後香港的大變，是當代香港歷史的直接參與者，日後他們描述的親身經歷，便是撰寫香港歷史的依據。我希望大家都盡可能用自己的方式，留下各自的生命足跡，眾人聚沙成塔，構建真正的完整的香港歷史。

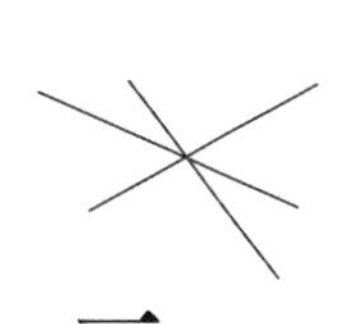

一個反共鬥士的心路歷程——《我的雜種人生——林保華回憶錄》

今日談一本書：《我的雜種人生——林保華回憶錄》。

林保華是印尼歸僑，青少年時代回大陸，畢業於人民大學歷史系，在大陸生活二十一年。文革後定居香港，經歷九七前後的政治風波，後移居美國，參與海外民運活動，又再移居台灣，參與台灣民間政治運動。

年輕人可能對林保華不太了解，但他大半生反共，不計回報，百折不撓，稱得上是一個實踐自己政治理念而永不放棄的正直的人。

林保華有長期在中共獨裁治下的生活經驗，對中共有深刻認識，他來香港後，處身言論自由的社會環境，即開始評論時事，分析政情，批判中共意識形態。他初時向不同傳媒投稿（新報、明報、星島晚報、信報等），漸有知名度，後進入中報編副刊。因投稿信報，得到信報社長林行止賞識，被林行止挖角轉到信報工作。在信報工作三年，因所寫的中國問題評論被著名經濟學家張五常賞識，又被張五常挖角，到香港大學擔任助理研究員。

比起眾多上世紀七八〇年代移民香港的大陸新移民，林保華到香港後的際遇，可稱非常順利，這當然得力於他自己的才學。一方面他很勤奮，不斷讀書進修提高自己的理論水平，其間要與二十多年的中共洗腦教育作痛苦決裂，另方面也要不斷開拓自己的思想空間，拓展眼界，敢於嘗試，在不斷改善工作環境的同時，也改善家庭的生活環境。

當年中國國門初開，經濟復甦，全世界注目，張五常秉承經濟學家的敏感，對中國南方的改革開放實踐產生高度興趣。林保華跟張五常多次到內地實地考察，從中總結中國改革初期的實踐經驗。

在陪同張五常作學術研究的同時，林保華仍堅持研究中國現實政治，在不同的報刊撰寫政治評論。他曾批評一些負責香港事務的中共官員（如許家屯），對中英談判中涉及的問題發表意見。張五常主張中國政府拍賣官地，主張容忍一定程度的貪污以提高地方官員的積極性，這些主張後來都被中共公開採納或默許，張五常的專業識見，相信也對林保華產生一定影響。

九七前林保華準備舉家移民加拿大，到紐約暫居等候批准，竟因九一一事件滯留美國，隨後決定以傑出人才身分申請移居美國。因為寫中國評論，他在海外民運圈子裡也有一定知名度，因此得到知名教授黎安友、余英時、張五常，還有尼克森任內國防部助理次長吳元黎的推薦，終於在美國落腳。

其後他積極參與海外民運，與大批大陸流亡政治精英們有廣泛接觸，也目睹了海外民運的種種內部問題。期間他仍為香港報刊撰寫政治時事評論，更把關注的目光投到民主運動風起雲湧的台灣。

因多次到台灣考察選舉和參與活動，林保華產生了移居台灣的念頭，經過一番努力，又與家人移居台灣。他仍然抱定堅定反共的立場，批判國民黨的投降路線，組織民運團體，直接參與街頭政治。

林保華數十年如一日，一直堅守在反共的第一線，他獨立思考，擇善固執，堅信人間正義必將得到申張。因為工作和作政治評論的關係，林保華一生接觸過不少黨政領袖和社會名人，他曾陪同張五常會見趙紫陽，又陪同著名經濟學家佛里曼訪問大陸。他在美國接觸中國民運人士，到台灣又與台灣政界和新聞文化界建立廣泛聯絡，拓展活動空間。香港佔中運動期間，他也與太太特地回來香港，表示對香港人民主抗爭的支持。

很多年輕朋友可能不認識林保華，稍年長的可能記得多年前常見報端的凌鋒。他是一個走到哪裡，就在哪裡反共的人，因為心地澄澈，容不下一點邪惡。有興趣的朋友可以讀讀這本書（台灣前衛出版社出版），了解我們這一代人的心路歷程，知道為擺脫中共獨裁統治，很多普通的中國人都為此奉獻了一生。

林保華是印尼人，也是中國人，也是香港人，也是美國人，也是台灣人，說到底，他就是一個平平常常的地球人！

如果普世價值是我們的信仰——慰問我的朋友鄧小樺

鄧小樺在元旦日衝突中，在人行道被胡椒彈擊中，血流披臉。我在社交媒體上看到照片，她半張臉腫起來，但還是那張倔強的臉。

稱鄧小樺為我的朋友，可能不太準確，她是我後輩，平常也沒甚麼來往。只有一次，她請我去香港文學館演講，又有一兩次寫電郵向我約稿，我幸而都不辱使命，盡量交差。

她是很優秀的詩人和散文家，曾經有一年，她寫過一篇散文「貓的病」（？），很細膩地描寫她和一隻貓的關係（憑這篇散文她奪得市政局文學獎的散文首獎），我讀了又讀，深為讚賞，也多次向朋友推薦。

她平時主持香港文學館日常工作，又在香港電台主持文學節目，參與很多社會事務。佔中運動時，我在電視上看到她最後被警察抬離現場，反送中運動以來，我只知道理大守校之役，她在那裡作觀察員，卻因無法離開最後被捕。然後，就是這一次親身體驗了中彈的滋味。

還好子彈略偏，差一點點就毀了她的眼。臉上的傷口易好，心裡的傷口幾時才可復原？

像鄧小樺這樣的文化界朋友，我認識的還有很多，像林行止、李怡、陶傑、劉銳紹、程翔、李碧華、馬家輝、沈旭暉、陳慧、董啟章、高慧然等等，他們有的數十年為香港人指點迷津，有的仗義執言直面強權，有的勇敢站到抗爭第一線，還有更多文化界朋友，他們未必寫很多文章，但都是堅定的黃絲，走在百萬人示威遊行的隊伍中。

當然，也有個別多年朋友是藍絲，彼此已經沒有共同語言，人各有志，不能勉強。

至於會不會永世割蓆，那也只有走著瞧了。

黑警用胡椒彈直射人群，當然不會想到他可能射中一個作家；一個作家為公義受了一粒子彈，對她的意義更遠遠超出她的痛苦。

因為對一個作家來說，沒有甚麼比自由更重要，如果她有志為歷史留下記錄，真正想描繪人性的複雜與多樣，如果她有心挖掘生命的真諦，她便不可以沒有創作的自由。

為甚麼有那麼多作家和新聞文化工作者，站在香港抗爭者一邊？因為他們對自由、法治和人權極端敏感，嚮往民主制度，他們容易感受制度的威脅，又慣於為真理拍案而起。一國兩制變為一國一制，必然窒息他們的創作心靈，侵蝕他們的創作空間，他們腦袋上永遠懸著一把專制統治的劍，便沒有直剖人性、詛咒黑暗、追求美好生活的可能。

我很慶幸大部分文化界朋友，都有相同的立場和訴求，不需要考慮割不割蓆的問題。在大是大非的問題上，能有一班志同道合的朋友，不離不棄，同進同退，是人生一大幸事。是他們使我更認同香港人的身分，更有歸屬感和自豪感，更覺得自己活得有價值。

我這樣說，不是要抬高文化界人士，而是作為作家和文化人，他們本就應該和社會大眾同呼吸共命運，本就應該站在他們中間，成為他們的一分子。他們的天職便是，拿起自己手上的筆，為真理發聲，為公義抗命，與人民同生死共榮枯。

信仰是一種奇怪的東西，看不見摸不著，也不能給你甚麼實際的好處，但它足以讓你以命相抵。如果我們的信仰是普世價值，那就任何人都不能用暴力和謊言奪走，當普世價值成為信仰，那就不是利害的問題，不是榮辱的問題，是生死的問題。

古語有云：「以銅為鑑，可以正衣冠，以人為鑑，可以明得失，以史為鑑，可以知興替。」這些文化界朋友，每個人都是一面鏡子，他們讓我明白甚麼是人生最高價值，他們給我力量和智慧，讓我堅守自己的良知。至於歷史那面大鏡子，更能讓我們看清楚甚麼東西正走向沒落，甚麼東西體現了未來。

希望小樺早日康復。一顆讓她流血的子彈，不可能使她動搖退卻，反而會激勵更多香港人，永不放棄，團結一心，堅持到底。

千古道義在民間，暴政橫行到幾時？——讀鄒幸彤女士法庭自辯文

拜讀鄒幸彤女士就「支聯會拒交資料案」在法庭的自辯，這是我近年來讀到最精采、最慷慨、也最雄辯的自辯文。鄒幸彤不愧為律師，她從不同角度反駁政府的指控，以事實為根據，以嚴密的邏輯為武器，以子之矛攻子之盾，把主控官直逼到牆腳，置法官於無地自容之地。

支聯會在一次數百萬元的籌款中，收到一筆來自「民主中國陣線日本分部」兩萬元「咁大把」的捐款，作為支聯會六四紀念館擴館工程的眾籌。政府根據這兩萬元捐款，再加上支聯會與該「民主中國陣線日本分部」都係因為六四而成立，再加上二者

之間有相同目標，憑此三點，即宣告支聯會為「外國代理人」。也就是說，因為支聯會收了這兩萬元，便成為「民主中國陣線日本分部」的代理人，這是正常人邏輯的推斷嗎？當然不是，這是「中共邏輯」的推斷。

控方的理據荒謬至極。其一，兩萬元就想讓香港支聯會當它的「代理人」，捐款者有那麼大的想頭嗎？控方至少應該有足夠的證據，證明對方曾指令支聯會做一些事，而支聯會也遵旨辦理，這才有資格成為對方的代理人；其二，全世界有多少民間團體以「平反六四」為訴求，如果僅僅因為訴求相同，就成為其他團體的代理人，那支聯會豈不是「好唔得閒」？其三，全世界反對專制獨裁的團體數之不盡，僅僅因為目標相同，就要成為各種不同政治團體的代理人，那支聯會如何運作？

支聯會是百分之百香港市民的組織，由二百多個民間團體組合而成，會員大會是最高決策機構，日常運作由一人一票選舉出來的常委會負責，其創會宗旨便是因六四而起的、對大陸民主運動的支持。支聯會每年活動經費動輒七八百萬元，已活躍了三十多年，其間舉辦無數活動，每年六四集會與示威遊行，都得到廣大市民包括遊客在內的捐款，區區二萬元捐款就使支聯會變身為它的「代理人」，香港法官的法理認知已淪落至此？

鄒幸彤詳述支聯會的架構、歷史、規模與決策機制，指斥強加「外國代理人」是欲加之罪何患無詞，是妄顧事實與常理，違背思維邏輯的野蠻行逕。

鄒幸彤尖銳指出：「個邏輯似乎係只要將所有嘢歸罪比外國勢力，就可以抹殺任何訴求的正當性，可以蓋過六四屠城的罪行，妖魔化追求民主的聲音。」

鄒幸彤以無可辨駁的證據，證明警方鄧炳強與左媒早在案情正式審理之前，便未審先判地將罪名強加到支聯會頭上，「外國代理人」這項罪名，根本是為支聯會「度身訂做」。先有這個罪名，再去找證據，結果絞盡腦汁，也只找到區區二萬元勉強可用，只好「夾硬嚟」。

鄒幸彤指出，「合作並非從屬」，即是不同團體有聯繫有合作，並不等於要聽命於對方，不等於要由對方發號司令來開展活動，因此也絕對不是任何人的「代理人」，更不必說是「外國代理人」了。一個孩子吃了另一個孩子一顆糖，不會因此就叫他爸爸，這都是常識，可惜在中共與港共的邏輯裡，一顆糖是有充分理由變成「爸爸」的。

以一個「三唔識七」的團體（鄒幸彤以證據說明事實上與日本捐款者沒有一絲一毫聯繫），一筆微不足道的捐款，栽贓支聯會，硬套一項「外國代理人」的罪名，以此置支聯會於死地，這便是香港今日法庭秉承中共意旨明火執仗想要達到的目的。

這樣的控罪與審理過程，在以往香港普通法法庭是不可能發生的，這是國安法之下的香港法庭的荒謬現象，是香港法治壽終正寢的明證。既然「外國代理人」的指控不成立，那麼支聯會拒交相關資料，便是義正詞嚴的回應。站在正義立場而拒絕與法庭配合，承擔專制政府的迫害，這對鄒幸彤與支聯會諸君子來說，便是一種道義的選擇。

鄒幸彤說：「我們無法承諾天明，卻能承諾同行，直到六四真相大白，劊子手面對審判的那天。直到一黨專政終結，政治濫捕結束的那天，我們會一直堅持：釋放民運人士、平反八九民運、追究屠城責任、建設民主中國。」

千古道義在民間，歷史是人民寫的。今日在庭上受審的是鄒幸彤們，來日香港人將在民主法庭上，審判這些加害鄒幸彤們的政治打手。百年以下，沒有人會記得法官主控官的名字，但鄒幸彤的名字將光耀在香港史冊。

春風萬里，海闊天空——為陳健民教授壯行

朋友轉來最新消息，陳健民教授接受台灣政治大學邀請，將以客座教授身份，在該校教授「社會運動」和「當代中國社會」兩門課。以陳教授的學養和閱歷，當然是最有資格教這兩門課的老師，台灣學子通過他的講授，可以對當代中國和當代社會運動有更深切的認識。

更重要的是，陳健民教授得以脫離香港這個正在淪陷的地方，當下香港已經夠惡劣了，還會更惡劣下去。陳教授雖然已坐過牢，但以中共對付「階級敵人」的乖張和狠毒，勢必不會手下留情，會用香港人無法想像的下作、卑劣的手段來迫害他，這是

可以預料的，因此，陳教授在這一刻得以脫離囚籠，不僅是他個人的幸運，也是我們大家的幸運。

我雖然與陳教授沒有一面之緣，但他一直是我的偶像之一。我一點點自由民主的思想，很多都是來自香港的文化人、政治活動家和學院裡的教授，從早年的金庸、林行止，到後來的司徒華、李柱銘，再到何俊仁、李永達這一輩，再到陳健民、戴耀庭這些學者，直到梁天琦、黃之鋒這些年輕人。我並沒有系統地研讀民主運動的經典，只是零敲碎打地吸收，慢慢打通基本常識，然後我才可以就每日面對的時事提出自己的看法。

香港人的普世價值觀念，在港英治下已深植在我們的文化中，金庸和林行止的時事評論，包含了最基本的民主和法治思想，八九六四使香港人的民主思想得到高度普及。直至回歸前後，民間誕生不同的政黨，司徒華他們開始運作政黨政治。那時，陳健民教授他們這一批學者，也站在香港人長遠利益的立場，參與理論探討，介入實際政治操作，與中共和特區政府博奕，希望以良性的互動，達致理性漸進的改革，最終實現基本法承諾的全面普選。

我相信陳教授他們在其中起了很重要的作用，努力說服中共，為港人獻謀劃策，時有進退，其間也因中共一再推搪牴牾而沮喪失望。他們和我們一樣，對中共的認識是一步步深化的，最初我們對中共都抱有善意的期待，希望隨著經濟改革的深化，政治改革會緩步推進，中共也做過一些行政方面的改革，黨政分開，政企分開，國退民進，社會動蕩時政策從緊，經濟狀況好時政策又放鬆，這也是一個古老大國龐大僵化的體系，在歷史上作空前大轉彎時，必然要經歷的過程。

我們都對中共付出最大的耐性，一年又一年等待，一年又一年盼望，一年又一年忍受，中共從早年的溫言款言，發展到正襟危坐，發展到擺臉色，發展到動武，發展到國安法，發展到踐踏選舉，發展到圍剿民間傳媒，抓捕新聞工作者，時至今日，中共已經把最後一塊遮羞布也撕下來了。

二〇一四年的佔中運動，是陳健民、戴耀庭和朱耀明他們與中共決裂的關口，自此他們就走上了一條政治受難的不歸路。他們領導了一場轟轟烈烈的社會運動，經歷了其中的挫折、委屈和困難，為此付出沉重的政治代價，而他們歷煉過那些苦難，身心保持平和，理想依舊堅執，他們沒有放棄，沒有離棄他們熱愛的香港這片土地。

對於中共的野蠻本性，再怎樣估計都不會過份，國安法既然可以追溯，大把人都難逃「法網」，陳健民教授若留在香港，遲早還有被清算的可能。在這種情況下，台灣政治大學主動邀請他前往教學，這是台灣學者們一番好意，也是台灣人民對香港人無聲的援助。據一位經辦的黃教授介紹，為玉成這件事，他們要克服很多行政上的困難，也得到學校當局和同事的大力支持，我們對台灣人的這一份難得的情意，應該致以衷心謝意。

很多香港人都在台灣了，蕭若元、桑普、沈旭暉、曾志豪，還有很多知名不知名的香港民主運動參與者。台灣在香港人困難的時候伸出援手，為他們提供一個避難所，使我們珍愛的人有立足之地，這是港台之間脣亡齒寒的體貼，也是我們共同命運相繫的真情。

希望香港人在台灣立足之後，能互相取得聯絡，在當地傳揚香港文化，與台灣文化水乳交融，豐富中國人的民主素養，不但在台灣生活下來，更在台灣開啟新的局面。

在此祝願陳健民教授到了新環境後一切順利，身心愉快。春風萬里，海闊天空，讓我們繼續關心香港，為香港發聲盡力，爭取國際支援，徹底孤立中共，爭取在所有中國土地上早日實現民主。當光復香港的那一日，我們會在英皇道上重逢，以一杯熱酒，祭奠那些獻身給民主運動的手足。

龍教授你為甚麼不生氣？

龍應台在紐約時報中文網發表一篇文章，標題是「北京未開一槍，已給台灣帶來裂痕」。

國民黨親共反美，民進黨親美反共，這是台灣基本政治立場的兩極，在兩極中間，還有人希望保持現狀，不戰不和，多做生意，平安生活，台灣裂痕不自今日始。龍應台列舉不同人對和戰問題的態度，沒有強烈表達她的立場，但在字裡行間，還是洩漏了她的心聲。

有朋友認為面對中國的奪島威脅，唯一的辦法是靠實力，龍應台說：「實力應該只是台灣戰略的一部分，我們的政治人士和其他公眾人物應該表現出真正的勇氣，與中國接觸，以某種方式緩和局勢。當一個更強的霸凌者威脅你的時候，難道不應該先嘗試去緩和局勢嗎？」

龍應台強調「樸素的務實主義」，她說：「我希望，為了我們所有人的利益，這種務實能成為長期的主流觀念。這並不是說普通民眾認為抵抗中國是徒勞的，而是台灣永遠處於中國巨大的引力範圍內，講求實際，甚至與中國和解，可能比戰爭更可取。」

說了很多，要害在這一句：「講求實際，甚至與中國和解，可能比戰爭更可取。」

國民黨執政十年，與中共和解了十年，最終不是中共放棄對台灣的領土慾望，而是國民黨成為中共統戰的代理人。民進黨執政十年，並沒有挑釁對岸，只是走親美路線，拓展國際空間，中共和解了沒有，更加沒有。

一個正常人不可能與強盜和解，強盜肯與他霸凌的人和解，那強盜就不是強盜了。

台灣人面對中共，等於一個村民隔壁住著惡鄰，一天到晚在你門口舞刀叫囂，你只好在自家門後藏一枝打狗棍，以備惡霸闖進來行凶時，可以及時拿出來防身，這才是「樸素的務實主義」。

所以民進黨政府購買美國先進武器，修改兵役制，訓練國軍，都只是備戰而已。台灣根本沒有動機、也沒有能力去侵犯大陸，台灣也不會開第一槍去惹事，但台灣要在中共軍隊渡海登島時，有能力擊退中共的侵犯，這才是必要的、務實的準備。

今日談和戰，對中共來說，是以戰逼和，對台灣來說，是備戰求和。若台灣不備戰，永遠在中共「巨大引力範圍內」乞求恩賜，那台灣永遠都不會有和平，因為中共今日不打，難保他明日不打，一旦他想打，就一定能打贏，因為台灣不備戰，那樣台灣永遠只是中共的砧上肉盤中餐。相反的，台灣有備能戰，中共要擔心戰爭代價，就不敢輕啟戰端，那樣台灣才有安全可言。這不是很簡單的道理嗎？睿智如龍教授，為何不明白？

二十多年前，龍應台在一篇文章中對胡錦濤說：「請用文明來說服我」，意思是大家講道理，不要暴力恫嚇。龍應台等了二十多年，有沒有等來中共的「文明」？至今中共仍用導彈戰機和軍艦來「說服」台灣，至於文明，中國沒有中共之後才有文明。

中共改革開放四十年，台灣人到大陸投資開廠，中共經濟起飛很大程度上得力於台灣人的支持，但中共並沒有因此而文明起來，相反的，一旦錢包腫脹，又一臉凶相。

龍應台在香港生活十幾年，深知香港人的處境。九七年後香港人與中共「和解」，期望中共遵守基本法，給香港人應許的民主與自由，可是中共財大氣粗後，連中英聯合聲明都成了廢紙——與這樣的政權「和解」，等於與虎謀皮。

不久前，龍應台的著作在大陸被全面下架，原因當然是她的言論不合中共的胃口，中共的獨裁體制和權貴集團的龐大私利，決定他們永遠不可能服膺普世價值。連龍應台那些並非特別尖銳的文章中共都容不下，還能指望他們容忍一個民主自由的台灣，繁榮在他們眼皮底下嗎？中共的征服胃口遠至美英等先進國家，小小的台灣何來「和解」之道？

反戰是理想主義情操，但戰爭有正義與非正義之別，反對正義戰爭，等於為非正義戰爭張目，比如俄國侵略烏克蘭，你反對烏克蘭抵抗俄軍，等於支持俄軍侵略。今日國民黨反對台灣備戰，等於為中共犯台作內部策應。

當你面對侵略者，你不能先問利害，你應該先問是非，問完是非，還要問榮辱，最後才是利害之辨。「時日曷喪，予及汝皆亡」，香港人反送中，明知贏面不大，但也敢鬥到最後，香港人說的「同你死過」，就是這個道理。台灣人敢不敢向中共說「同你死過」？

我在香港時，每逢碰到藍絲的朋友，都要問他一個問題：你是希望未來的大陸變成今日的香港，還是希望未來的香港變成今日的大陸？今天我也想問老朋友龍應台：你是希望未來的中國變成今日的台灣，還是希望未來的台灣變成今日的中國？

我與龍教授相識多年，向來佩服她的學識與為人，今日拜讀她的文章，心中有一條刺，不吐不快，還望龍教授包涵。

與邱立本、江迅絕交書

邱立本、江迅：

《亞洲週刊》最新一期以香港警察為封面，譽無法無天的黑警為「二〇一九年度風雲人物」，這件事做得太過份了，我已經無法說服自己再將你們視為朋友，如今就以這封公開信，與你們絕交。

自中文《亞洲週刊》創刊以來，直至本世紀初，一直秉承海外自由派知識分子的立場，鼓吹改革開放，批判獨裁統治，聲援大陸民運，推崇普世價值。我記得你們曾做過很多深入而大膽的報道，對推動中國前三十年的改革開放，發揮過正面作用。

我們相識多年，在工作上有過很多合作，個人交往雖說不上非常密切，但也一直有共同語言。我曾有少量文章在你們的刊物發表，你們的書也曾經由天地圖書出版，不管怎麼說，總是有某種程度的同聲相應，同氣相求，因此長久以來，也一直以朋友相待。

因為《亞洲週刊》承辦書展的作家活動，我們也曾有過不少合作。有一年你們邀請大陸自由派知識分子資中筠女士來書展演講，但資先生並沒有作品在香港出版，我聽說後即與江迅商量，取得資先生授權，在書展前趕出一本她的文集。另一次，因為天地圖書出版汪精衛的《雙照樓詩詞藁》，徵得余英時教授寫長序，我建議書展時請余先生來香港，江迅即到處張羅，準備提供兩張來回美國香港的頭等機票，此事後來雖因余先生不便終未成事，但當時的確感覺我們之間合作愉快。

如果我沒有記錯，因六四事件坐牢的李旺陽「被死亡」時，你們曾做過一期封面專題，劉曉波零八憲章事件，你們也曾做過深入評析，你們也曾做過搶救六四民運人士的「黃雀事件」的獨家報道，你們在做這些新聞專題時，也都一直站在質疑和批判中共的立場。很多採訪都是你們親自做的，文章也是你們親筆寫的，從那時到現在，從站在自由主義立場，到站在中共的立場，這中間一百八十度的轉換是怎麼發生的呢？

如果之前的你們是真誠的，那之後呢？如果今天才是你們的真誠，那之前的呢？習近平說：「不能以前三十年否定後三十年，也不能以後三十年否定前三十年」，莫非你們以前做的是對的，今日做的也是對的？你們真是深得「辯證法」的箇中三昧啊。

這半年來，最多人談論的是「割蓆」二字，你們應該不會忘記割蓆這個典故吧。三國時期魏國的管寧和華歆本為同門，有一次兩人在屋裡讀書，門外有達官貴人經過，車騎顯赫，管寧視若無睹，華歆卻興衝衝跑到門外翹望，羡慕不已。車騎過去，華歆回屋，管寧二話不說就把草蓆割了，然後說：「你不配做我的朋友。」古人交朋友，有如此嚴格的標準、崇高的境界，比起他們，我們真是有愧於前賢。

我自然遠沒有管寧那樣的決絕，我一直因循地遵從一些交朋友的社會習慣，人都不是完人，每個人都有自己的性格和為人宗旨，也有各自的生活處境，不可能事事都求全責備。自從梁振英競選特首以來，《亞洲週刊》就成為梁的大本營，糾集一批梁粉，日以繼夜為梁振英搖旗吶喊，當時我已經很不理解了。到佔中時，你們更赤膊上陣，唯恐香港不早日變成大陸。考慮到你們老闆的政治立場，我還是盡可能地體諒你們的處境，希望你們有機會盡可能維持個人的良知，為香港人說一些公道話。

初時你們仍會玩一點平衡，間中還會有涉及敏感政治議題的綜合報道，貌似仍站在自由知識分子的立場，但在處理上已經相當低調曲折，我明白你們的處境，也自以為體諒你們的苦衷。

我已經長期不看《亞洲週刊》了，因為如果你們不敢接觸政治議題，又有預設的立場替中共和特區政府粉飾，我就不想再浪費自己的時間了。直至這一次，你們把對香港人殘酷施暴的黑警，也當作英雄來崇拜，我也是看報道才知道，但做到這樣，你們已經去到盡了，除了文匯大公，已經沒有人可以做到你們這樣了。因此我才發覺，我對你們長期以來都有誤解，我誤以為你們還有一息尚存的良知，我用了二三十年時間，才發現自己全然失察——如此欠缺知人之明，交友不慎，真有愧於古人。

我不理解的是，一個新聞工作者，如果明白自己握有第四權，有責任監督政府，維護人民的利益而不是統治者的利益，那麼你們就應該和眾多香港新聞工作者一樣，致力維護香港的新聞自由，而不是反過來，致力維護統治者壓制新聞自由的「自由」。你們年輕時投奔新聞行業時，曾否立志做一個有「獨立之精神，自由之思想」的新聞工作者，而不是做專制政權的代言人？你們午夜夢迴，有沒有試過捫心自問，稍微有點不安和煩惱？

現在我終於明白，你們和大多數香港人根本的不同是甚麼了。我們為自由可以不愛國，你們卻為愛國可以不自由；你們生活在尚有自由的地方，情願放棄自由，我們生活在不能不愛國的地方，卻敢於不愛國——我們不可調和的矛盾在這裡。

俗話說，你交甚麼樣的朋友，你就是甚麼樣的人。在香港人為自己的命運拚死抗爭的當下，我如果還當你們是朋友，我的人格就有問題了，我愛護自己的人格勝過愛護自己的生命，因此與你們絕交是我唯一的選擇。

事已至此，多說無益。我們就在這裡分手吧，從前種種一筆勾消，未來種種楚河漢界。這半年多來，以我的立場和態度，相信你們也早就準備和我絕交了，如此我們就兩便吧，各自割離，不留後路。以後道左相逢，也形同陌路人，你們是你們，我是我，最終，我們各自都去承擔自己的命運。

1841
一八四一

香港
我的愛與痛

作　　者　顏純鈎
責任編輯　馮百駒
執行編輯　緣二聿
文字校對　章郡榕
封面設計　虎稿．薛偉成
內文排版　王氏研創藝術有限公司
出　　版　一八四一出版有限公司
印　　刷　博客斯彩藝有限公司

2023 年 10 月　初版一刷
定價　420 台幣
ISBN　978-626-97372-4-6

社　　長　沈旭暉
總 編 輯　孔德維
出版策劃　一八四一出版有限公司
地　　址　臺北市大同區民生西路 404 號 3 樓
發　　行　遠足文化事業股份有限公司
（讀書共和國出版集團）
郵撥帳號　19504465 遠足文化事業股份有限公司
電子信箱　enquiry@1841.co
法律顧問　華洋法律事務所 蘇文生律師

香港我的愛與痛／顏純鈎著 . -- 初版 . -- 臺北市：一八四一出版有限公司出版：遠足文化事業股份有限公司發行, 2023.10
面；　公分

ISBN　978-626-97372-4-6 (平裝)

1.CST: 言論集

078　　112015640

香港文庫